Integridad… Relaciones… Credibilidad… Reputación…
Negociación… Escuchar… Empresariado… Dinero…
Productividad… Tiempo… Confrontación… Liderazgo

12 PRINCIPIOS A PRUEBA DE TIEMPO PARA UNA VIDA DE PROSPERIDAD Y DE ÉXITO

Integridad
No. 27: Apártese de todo en la vida, menos de la excelencia, así aumentará su integridad.

Credibilidad
No. 61: Cuanta más confianza tenga en sí mismo, mayor será la credibilidad de la gente.

Liderazgo
No. 338: Los líderes confían y creen en sus instintos, porque con frecuencia tienen una visión del futuro que aún no existe.

Productividad

No. 270: Si desea saber cuáles son los obstáculos que bloquean el progreso de su organización, dígale a sus empleados que hagan una lista de todo lo que menos les agrada realizar.

Confrontación

No. 318: Olvídese de lo que hizo ayer. Su jefe está más interesado en lo que usted hará hoy y mañana.

No. 333: Las circunstancias no son una excusa válida para la falta de rendimiento. Si no puede enfrentar y superar las circunstancias, su desempeño se verá afectado.

No importa si usted es inversionista, ejecutivo de alguna empresa o independiente, *365 maneras de ser multimillonario* originará resultados importantes en todas las áreas de su vida, y le dará las herramientas necesarias para alcanzar sus objetivos comerciales.

Brian Koslow es un maestro especializado en desarrollo personal y en la actualidad vive en la Florida.

365

maneras de ser
MULTIMILLONARIO

BRIAN KOSLOW

Prólogo de GUSTAVO NIETO ROA

365 MANERAS DE SER MULTIMILLONARIO
Título original: 365 Ways to Become a Millionaire
©BRIAN KOSLOW
Estados Unidos

Bogotá, D.C. - Julio de 2002
Segunda Edición - Octubre de 2002

ISBN: 958 8184-02-9

Editor	:	Gustavo Nieto Roa
Editora asistente	:	Zenaida Pineda R.
Carátula	:	Centauro Internet
Arte y diagramación	:	Marlene Zamora C.
Traducción	:	Walter Freddy Hómez
Editado por	:	Centauro Prosperar Editorial
		Calle 39 No. 28-20
		Tels.: 368 4932 - 368 4938
		Línea 018000911654
		Fax: 368 1862
Impresión	:	Prensa Moderna Impresores S.A.

Made in Colombia

*A mi padre, cuya presencia me acompaña
todos los días. Fue el mejor consejero y maestro
de todos. Me enseñó que las relaciones son
la base de todo. Fue un digno ejemplo
de amor, perdón y confianza.
Obró con integridad y fue una fuente de
sabiduría y apoyo para los demás; un excelente
hombre de negocios y un maravilloso padre.*

CONTENIDO

INTEGRIDAD

Integridad personal, seriedad, autenticidad y
cumplimiento de los principios...son la base
de una eficacia constante.   25

RELACIONES

Son la clave para ampliar su influencia y encontrar satisfacción en todo lo que usted hace.   41

LIDERAZGO

PRÓLOGO

Cuando era niño, un millón parecía una suma de dinero tan grande que sólo muy pocos tenían. El sueño era llegar a tener un millón al ser mayores. Con la depreciación de la moneda, hoy en día un millón no es una suma importante. Cualquiera tiene un millón. Ahora, hay que hablar de billones. Aun en dólares, un millón ya no es nada del otro mundo. Cualquier empresa de regular tamaño, necesita de varios millones de dólares de capital para mantenerse activa en el mercado.

Seguimos soñando con ser no sólo millonarios, sino multimillonarios, para estar a la par con la gente que se considera rica de verdad, en un medio donde las economías ya no son nacionales sino globales. La pregunta es, si es posible ser multimillonario. La respuesta es, que las oportunidades para serlo están ahí, frente a nosotros, o de lo contrario no ingresarían nuevas personas cada año a la lista de las más ricas del mundo, o del país.

Mucha gente ha sido educada con el concepto de que para tener dinero hay que estudiar muchísimo, trabajar sin descanso o actuar incorrectamente, como lo hacen tantos políticos y administradores de empresas que aprovechan sus posiciones para desviar dineros ajenos hacia sus cuentas personales. Otros piensan que sólo es posible amasar fortunas dedicándose a la delincuencia, como el tráfico de drogas, o a otras actividades similares.

Lo cierto es que el dinero es algo sin lo cual no se puede vivir. Es tan indispensable como el agua que bebemos, o la luz del sol. Mucha gente cree que el dinero es algo limitado y escaso, que sólo unas pocas personas lo controlan, y que está muy mal distribuido, razón por la que existe tanta pobreza y hambre en este mundo.

El dinero es infinito. Los billetes, las monedas, los títulos valores, son símbolos del dinero que una persona o empresa ha producido o captado. El dinero está en todas partes, así como la energía eléctrica se halla por doquier en el espacio que nos rodea. El dinero es sólo energía que le permite al ser humano transformar su entorno físico, tanto como la energía eléctrica le permite iluminar los espacios y mover las máquinas.

Así como la energía eléctrica se capta del espacio a través de un dispositivo mecánico, llamado generador, activado por otra fuente de energía como el agua, el calor, el movimiento, el viento, y tantos otros, el dinero hay que captarlo a través de una actividad de intercambio, de flujo y reflujo, o sea, por la acción de dar y recibir. Para tener dinero siempre hay que dar algo. La forma más común, es dar de su conocimiento y capacidad física, que convertidos en servicios, un empleador utiliza a cambio de un salario. Otra forma es crear un producto que se intercambia o vende a cambio de dinero. Hay infinidad de maneras de establecer una acción de intercambio por dinero o cosas que representen dinero, ya sea con servicios o productos.

Sea la forma que se escoja, ésta viene a ser el dispositivo que se utiliza para captar el dinero a nuestro alrededor. Si estuviéramos en un desierto muriéndonos de sed, la gente no desearía dinero sino agua. El agua, en ese sitio y momento, tendría el máximo valor, tanto o más que el dinero.

Así como el dispositivo mecánico que capta electricidad requiere de otra fuente de energía que lo active, el dispositivo que se tenga para captar dinero, requiere de una fuente de energía muy particular. Y esta fuente la generan las personas a través de su actitud mental frente a la vida. Quienes están conscientes de esto, y conocen cómo la mente del ser humano es la que determina el grado de riqueza o pobreza que disfrutan, asumen las actitudes correctas que les producirá los millones que desean. Estas personas saben que no es cuestión de sacrificio ni de hacer muchas cosas para ser multimillonario, sino de una actitud de sentirse multimillonario.

Por eso nos complace ofrecer en este libro 365 maneras o fórmulas de SER multimillonario. Son una serie de actitudes ante a la vida, que si nos hacemos conscientes de ellas y las ponemos en práctica, generaremos la energía adecuada para que ese dispositivo que hemos creado para captar dinero sea tan poderoso, como una hidroeléctrica o una planta nuclear, y nos produzca millones. Las personas que logran amasar honestamente y disfrutar de fortunas multimillonarias en esta vida, son generadores de riqueza de una capacidad asombrosa. Y si ellos lo hicieron, también usted lo podrá hacer.

Brian Koslow, es un norteamericano deseoso de compartir con los demás, en una actitud acorde con sus principios, los secretos que lo han hecho multimillonario, y que ahora usted, amable lector, tiene en sus manos. Sólo resta ponerlos en práctica.

GUSTAVO NIETO ROA

PRESENTACIÓN

Me llamo Martin Cohen, soy profesional en el ámbito del desarrollo personal y asesoro a empresas y a ejecutivos. Durante los últimos veinte años, he preparado a una amplia gama de personas altamente exitosas en diferentes profesiones e industrias. Entre todas ellas, he asesorado a varios multimillonarios. Ya hace más de diez años que conozco personalmente a Brian Koslow. Es un experto en la materia. Continúa siendo mi cliente y amigo, en la que yo consideraría una relación de toda la vida.

Me siento muy honrado de poder expresar lo que pienso sobre esta maravillosa contribución que Brian ha hecho. Brian personifica la posibilidad de la abundancia en el nuevo milenio, al incorporar con éxito un efectivo e ingenioso sistema de principios en su carrera como empresario y orador público.

Sus principios, expresados brillantemente aquí, son un sueño hecho realidad para todo aquel que desee aumentar su riqueza, éxito y realización personal.

La buena voluntad de Brian para entregarse y someterse a los principios expresados en este libro, ha permitido que él y sus clientes sepan lo que es ser multimillonario en todo el sentido de la palabra. A través de su capacidad e intención, no sólo crea interesantes posibilidades para las personas y sus negocios, sino que además vive lo que profesa. Su presencia transmite información e inspiración.

Brian es una prueba viviente de que todo es posible. La clave para alcanzar el nivel de éxito que él ha creado, radica en la medida en la cual usted esté dispuesto a abrirse a sus principios. Lo invito a que sea receptivo a su sabiduría y permita que las palabras que usted lee en esta obra lo preparen para un futuro de prosperidad y abundancia.

— Martin Cohen
Martin Cohen & Associates, Inc.
New York City

AGRADECIMIENTOS

A mi esposa, Meryl, porque constantemente me brinda la confianza y estímulo que necesito para asumir riesgos, soportar fracasos, tener éxito y aprender. Es una fuente interminable de apoyo y visión. Le agradezco su compromiso con nuestra relación y con nuestra familia.

A mis consejeros: Jack Taub, un empresario que compartió su vida conmigo durante tres años, casi desde que empezaba el día. Jack me enseñó, más que cualquier otra persona, a tomar riesgos, a ser eficaz y a escuchar. Debería pagarle por todo el tiempo que me dedicó. Y a Frank Trumbower, un brillante banquero y líder, quien me enseñó sobre planeación, puesta en práctica, estrategias y comunicación. Me dio la libertad para fracasar y la destreza para triunfar y creer en las personas.

A mi amigo del alma, Michael Fishman, sin el cual este libro no estaría en este momento en sus manos. Michael es puro corazón. Cuando la suerte no te acompaña, él es la clase de amigo que te apoya ciento por ciento y te da el estímulo necesario para seguir adelante. Ofrece un respaldo incondicional a los demás.

A mi agente literaria, Sheree Bykofsky, y a mi editora, Laurie Viera, por su talento, sabiduría e inconmensurable dedicación al trabajo. Sus equipos se esforzaron al máximo para hacer posible este libro, y su entusiasmo hizo germinar las semillas de mi próxima publicación. Las dos son un regalo para la profesión literaria.

A mi cuñada, Katie, por sus comentarios, revisión y cuestionamientos. Ayudó a simplificar lo que parecía complejo y organizó el manuscrito en su formato actual. Katie también se encargó de un sinnúmero de detalles administrativos y secretariales, ingredientes esenciales para que este libro llegara a usted. Es un gran placer trabajar con ella.

También agradezco a cada uno de mis clientes por darme la oportunidad de servirles. Gracias a su compromiso e inspiración pudieron comprobar los principios escritos en este libro. Agradezco a todos y a cada uno de ustedes por su vulnerabilidad, por confiarle a mi personal y a mí todos sus negocios, y por compartir sus preocupaciones y sus mejores visiones. Le agradezco a usted por su valor para actuar y hacer lo necesario para marcar la diferencia en el mundo.

Nota del autor

Gracias por elegir este libro. Espero, sincera-
mente, que los consejos dados aquí, causen una
profunda y duradera influencia en usted, sus negocios
y su familia.

Durante los últimos catorce años, miles de personas han
utilizado las enseñanzas de este libro para lograr más eficacia,
ampliar sus posibilidades y originar progresos importantes en
su vida. El contenido de este libro no es hipotético ni teórico;
por el contrario, los discernimientos aquí plasmados registran
resultados positivos ya comprobados y de gran alcance.

Dividí el libro en doce secciones, cada una estructurada
de manera que usted pueda ahondar en su propio potencial.
Puede utilizarlo como referencia para meditar, como guía o
como afirmación diaria.

No importa si es ejecutivo, político, administrador, vendedor, secretaria, u obrero, este libro es para usted. Le agradezco de corazón por su valor para asumir riesgos y su buena voluntad para aceptar el cambio. Es posible que experimente la recompensa que resulta de vivir la vida en su nivel más alto de efectividad.

$

365

maneras de ser
MULTIMILLONARIO

INTEGRIDAD

Hace poco, dicté un seminario a un grupo de profesionales sobre el tema de la integridad. Me causó asombro conocer la cantidad de interpretaciones que puede dársele a una palabra. Pero, tal vez más fascinantes, fueron las innumerables reacciones específicas mostradas por cada participante. Este candente tema hizo que todos los asistentes evaluaran su propia integridad –que implica entereza personal, consistencia, autenticidad y compromiso con valores y principios– en todas las interacciones y actividades diarias.

En uno de los ejercicios, le pedimos a los participantes que escribieran momentos del pasado en los cuales creían haber comprometido su integridad, y aquellos, que según ellos, aún corrían riesgo. De manera interesante, la mayoría de los asistentes pudo encontrar una o más actividades habituales en las cuales su integridad estuvo realmente comprometida. Sin embargo, una vez que evaluaron las recompensas y riesgos asociados con esta situación, concluyeron firmemente que los resultados negativos, inevitables y a largo plazo, eclipsaron el encanto de los beneficios a corto plazo. Sin duda alguna, la integridad está relacionada directamente con la producción de efectividad constante, a largo plazo y con resultados positivos.

∽ 1 ∽

SIEMPRE mantenga su palabra. Pero, si un cambio en las circunstancias implica que mantener su palabra podría ser arriesgado o catastrófico, reevalúe la intención de mantener su integridad.

❧ 2 ❧

LA integridad requiere consistencia entre sus declaraciones en público y sus pensamientos privados.

❧ 3 ❧

LAS personas altamente eficaces nunca culpan a las circunstancias por la falta de resultados. Por el contrario, aceptan la responsabilidad y repiten las acciones necesarias para producir los resultados esperados.

❧ 4 ❧

PREOCÚPESE más en dar que en recibir, y atraerá un éxito mucho mayor.

❧ 5 ❧

Trate a la gente sin juzgarla, así ellos apoyarán con más entusiasmo sus sueños.

❧ 6 ❧

Cuando existe integridad en una organización, la voluntad de las personas para comprometerse de lleno en una labor, aumenta. La gente que se compromete totalmente es la base de una organización, que con frecuencia, produce resultados aparentemente imposibles.

❧ 7 ❧

Elabore una política para todo. Las políticas permiten que una organización funcione eficazmente. Sin políticas, siempre obtendrá menos de lo previsto, y gastará más tiempo intentando conservar la integridad de su organización.

Si responde a las circunstancias con ética, y obtiene resultados positivos con lo que usted dice, será considerado "sobresaliente" y atraerá más oportunidades.

Si un solo empleado no tiene integridad podrá –tarde o tempran– arruinar la productividad e integridad de su compañía, poniendo en tela de juicio su reputación.

❧ 10 ❧

NUNCA haga otra actividad mientras habla por teléfono. La persona que lo escucha al otro lado de la línea pensará que su atención está en otra parte e interpretará este acto como desinterés en ella y en sus necesidades. Si hace esto repetidamente, sus clientes llamarán a la competencia.

❧ 11 ❧

ADOPTAR una personalidad para los negocios y otra para su "vida personal", puede ser innecesariamente agotador. Encontrará, que siendo auténtico todo el tiempo –en otras palabras, manteniendo un estado de entereza o integridad–, logrará mayor éxito.

✺ 12 ✺

NUNCA juzgue ni menosprecie a las personas por su apariencia física. La gente de éxito (que puede estar dispuesta a invertir en usted) viene en todos los pesos, tamaños, formas y colores.

✺ 13 ✺

SI constantemente hace lo mejor que puede, con integridad, se lamentará menos y avanzará con mayor facilidad.

✺ 14 ✺

SU integridad está en juego cuando sus actos no van de acuerdo con sus palabras. Además, su reputación, su credibilidad y sus relaciones también lo estarán.

✑ 15 ✑

Es muy posible que sus empleados expresen por escrito lo que no se atreven a decirle personalmente. Es bueno crear una forma de comunicación que le permita enterarse de las perspectivas de cada trabajador. Esto ayudará a conservar la integridad de su organización.

✑ 16 ✑

Siempre tome el camino más ético y virtuoso. No haga nada que le perturbe el sueño. Cuando el camino a recorrer es largo, se beneficiará más haciendo lo correcto, no importa que el costo inmediato al hacerlo sea más alto.

❧ 17 ☙

CUANDO una organización obra con integridad, podrá atraer y retener a personas competentes y talentosas con mayor facilidad. Cuando una organización no tiene integridad, las personas competentes y talentosas se marcharán.

❧ 18 ☙

ROMPER los compromisos siempre será frustrante para las personas que dependen de usted. Nunca rompa sus compromisos, a menos que responsablemente le comunique a todos los involucrados el cambio de decisión.

≈ 19 ≈

"QUEMARSE" no es el resultado de estar muy ocupado. Es una señal de la pérdida de objetivos y de la falta de satisfacción. Cuando estos dos factores están presentes, usted se encuentra en un estado de integridad y no se puede "quemar".

≈ 20 ≈

CUALQUIER actitud o comportamiento poco ético o inmoral, es autosabotaje, y aleja a las personas. Tendrá mayor éxito eliminándolos... aunque la ofensa sea tan pequeña que nadie la note.

21

Sɪ administra su empresa en base a la personalidad de la gente, los resultados variarán de acuerdo a la disposición y a las emociones. Si administra su empresa en base a principios, valores y compromisos, sus esfuerzos producirán resultados más consistentes.

22

Eʟ cerebro controla y coordina cada célula del cuerpo. Hace esto por medio de un vasto sistema nervioso que llega a todos los músculos, tejidos finos y órganos. Para mantener la capacidad cerebral de todas las células del cuerpo, es bueno que un quiropráctico revise su espina dorsal con regularidad. Por experiencia personal, sé que esto lo mantendrá concentrado y funcionando en su máxima capacidad.

❧ 23 ❧

PERDONARÁ más fácilmente a las personas cuando venza la necesidad de hacerlas equivocar.

❧ 24 ❧

EL cerebro está compuesto de células de energía. Si se puede concentrar sin distracción alguna, sus neuronas actuarán con la precisión de un rayo láser. Las personas de éxito tienen la facultad de concentrarse en lo que está pasando. La práctica y la eliminación de las distracciones aumentan la capacidad de concentración. Una mayor concentración en los objetivos principales producirá un incremento en la efectividad y le permitirá conservar la integridad en todo lo que hace.

✌ 25 ✌

Nutra su cuerpo de forma apropiada. Es el único que tiene. Sin una nutrición correcta, su cuerpo no mantendrá la integridad ni la entereza. ¿Cuándo fue la última vez que le hicieron un masaje, que tomó un antioxidante, que bebió un jugo de verduras fresco o hizo ejercicio?

✌ 26 ✌

Usted no es su mente. La mente es sólo una parte pequeña pero poderosa, de nuestro ser. Contrólela, concéntrela y nútrala con pensamientos positivos que sean acordes con su carácter. Revitalice las neuronas y cárguelas positivamente. Rodéese de personas positivas, lea libros positivos y escuche cintas de audio positivas. ¡Comience ahora!

❧ 27 ❧

APÁRTESE de todo en la vida, menos de la excelencia, así aumentará su integridad.

❧ 28 ❧

SIEMPRE conocerá las verdaderas intenciones de una persona cuando vea sus resultados. Existe integridad cuando las metas propuestas y los resultados van de la mano.

❧ 29 ❧

EL Mago de Oz tenía razón cuando dijo que creyéramos en nosotros mismos. La Bruja Buena del Este estaba en lo cierto cuando dijo que la mayoría de las veces las respuestas ya están en nuestro interior. Al igual que Dorothy, debemos ser sinceros con nosotros mismos y permitir que otros nos ayuden a descubrir las respuestas que habitan en nuestro interior.

⤬ 30 ⤬

Sı no trabaja en la actividad que le gusta, es probable que esté realizando el trabajo equivocado.

⤬ 31 ⤬

Lo más importante es creer en uno mismo y en sus propias capacidades.

RELA$IONES

Las relaciones interpersonales son un prerrequisito para tener resultados más allá de lo esperado. Amplían nuestra imaginación hacia posibilidades infinitas que no pueden existir en una vida de aislamiento.

Las relaciones le dan significado a nuestra vida. Implican un compromiso mutuo. También son la plataforma para obtener resultados extraordinarios. A través de una energía sinérgica e invisible, que va más allá de nuestro ser, las relaciones nos brindan oportunidades y resultados que de otra forma no se darían.

32

LA confianza es la base de todas las buenas relaciones.

33

LLEGARÁ más lejos en la vida si primero confía en las personas, antes que desconfiar de ellas.

34

CUANTO más se queje, menos oportunidades obtendrá de las personas. Si tiene un reclamo que hacer, proporcione una solución a la persona que puede hacer algo al respecto.

35

SER apasionado aumenta el magnetismo para atraer a los demás. Por lo general, este es el primer factor que buscan los parientes, amigos y asociados para invertir en usted.

36

SUS empleados y clientes no tendrán más entusiasmo del que usted manifieste.

37

SI su pareja o compañero apoya todos sus actos y lo anima a seguir adelante, le será más fácil alcanzar el éxito. Mi consejo: considere la relación de pareja como algo sagrado.

≈ 38 ≈

LAS sociedades alcanzan el mayor éxito cuando los socios comparten una visión común, y están dispuestos a eliminar cualquier discordia existente.

≈ 39 ≈

LA actividad más importante, deseada, de gran alcance y con la cual usted puede lograr los mejores resultados, es reconocer, conocer y apreciar a los demás.

≈ 40 ≈

UNA mala actitud hará que lo despidan tarde o temprano, sin importar sus capacidades. Una mala actitud es nociva para cualquier organización.

41

CUANTAS más personas logre influenciar, más poder tendrá.

42

ES importante hacer sentir "bien" a los demás. Se sentirán útiles, serán más productivos, se expandirán más y correrán más riesgos.

43

LAS personas que usted elige para compartir su tiempo, pueden determinar fácilmente hasta dónde llegarán en la vida.

≈ 44 ≈

UNA manera de saber si usted es una persona excelente, es mirar a su alrededor y ver si todos sus allegados son excelentes. La persona que todos ellos tienen en común, es usted.

≈ 45 ≈

SI las personas no ven lo que escuchan, automáticamente desconfiarán. La desconfianza destruye las relaciones.

≈ 46 ≈

CUANDO usted culpa de algo a alguien, sus relaciones y su poder personal se deterioran.

47

CUANTO más juzgue a la gente, más la alejará.

48

LA actitud puede cambiarse en una fracción de segundo. Las personas con actitud positiva atraerán oportunidades con mayor facilidad, ganarán más y tendrán mejores relaciones con sus allegados.

49

ANIME a todo el personal de su compañía a mantenerse en un proceso constante de autosuperación. Regale una copia de este libro a todos los compañeros de trabajo y a cada uno de sus proveedores. Lo apreciarán más.

ᥬ **50** ᥬ

Nunca sienta lástima por sus compañeros de trabajo. Las personas negativas no tienen oportunidad de surgir en una compañía proactiva y productiva.

ᥬ **51** ᥬ

Para mejorar la moral del personal, la confianza y el trabajo en equipo, asegúrese de que usted y su compañía estén involucrados en un programa de capacitación progresivo.

ᥬ **52** ᥬ

Cuanto más fuertes sean sus relaciones con los clientes, más aumentarán las ventas de sus productos. La clave fundamental para incrementar las ventas radica en mejorar paulatinamente la relación con ellos. Los recordatorios con cartas personales, las llamadas y las encuestas, son importantes para los programas de retroalimentación de las compañías y para un buen curso de las relaciones.

≈ 53 ≈

Sɪ nunca se decepciona, es probable que sus expectativas no sean lo suficientemente altas. Las personas se desempeñan mejor cuando están impulsadas por expectativas superiores.

≈ 54 ≈

Sᴇɴᴛɪʀ envidia, celos y dejarse impresionar por el dinero de los demás, son actitudes que no merecen el respeto o favor de aquellos que nos rodean.

55

EL arte de conseguir quien nos compre es mucho más efectivo que el arte de vender. Si se interesa verdaderamente en sus clientes, con seguridad ellos querrán comprar sus productos.

56

ENVÍE siempre sus cartas comerciales a una persona específica. Indique en la primera oración el motivo de su carta. Precise los beneficios específicos para el lector en el primer párrafo. Indique el siguiente paso a tomar. Facilite siempre que el lector diga "sí" a su siguiente paso. Todo lo dicho anteriormente, le dará la oportunidad de desarrollar sus relaciones con el lector y de mejorar los resultados.

57

SEA generoso, amable y agradecido con los demás.

58

SE presentarán más oportunidades en una relación donde las actividades superficiales se reemplazan por aquellas donde predomina la afinidad con la otra parte.

59

RECUERDE: nunca los negocios, el poder, la posición, la riqueza, ni la fama reemplazan a la familia.

CREDIBILIDAD

La credibilidad es esencial para obtener resultados con facilidad. Una compañía con credibilidad es capaz de introducir nuevos productos y servicios, así no haya demanda alguna. Los clientes están dispuestos a confiar en una compañía que demuestre credibilidad. Cuando esta existe, los clientes compran sin esperar a que les vendan.

Las personas que adquieren credibilidad no necesitan convencer a los demás. Tienen un acceso mágico hacia los resultados, porque pueden, instantáneamente, ganarse la confianza y la fe de las personas. Las personas con credibilidad administran la autoridad. Y para mantener y ampliar la autoridad que los demás han depositado en ellos, deben producir resultados, que a su vez los ayuden a ser aún más creíbles.

🖐 60 🖐

HAGA una lista de, por lo menos, tres factores únicos acerca de sus servicios, y/o sus productos. Comuníquelas con mayor frecuencia y su valor aumentará. Así mismo, sus ventas.

🖐 61 🖐

CUANTA más confianza tenga en usted, mayor será la credibilidad de la gente.

⚜ 62 ⚜

CUANTO más esté dispuesto a hacerse responsable de sus actos, mayor credibilidad tendrá.

⚜ 63 ⚜

SIEMPRE use zapatos costosos. La gente lo notará.

⚜ 64 ⚜

ATRAERÁ más personas hacia usted, si actúa y habla de abundancia y no de escasez.

✍ 65 ✍

Sɪ todos le creyeran, usted vendería más.

✍ 66 ✍

Lᴀ credibilidad es la base de todo líder. La raíz de la credibilidad comienza siendo honesto.

✍ 67 ✍

Nᴜɴᴄᴀ diga mentiras. La pérdida de credibilidad tiene un costo muy elevado y es difícil de recuperar.

68

Nunca emplee términos confusos. Nunca diga "Uhum"; diga "sí". Nunca titubee, siempre afirme. No maldiga, no le falte al respeto a nadie. Todo esto disminuirá su credibilidad y afectará su beneficio personal.

69

Cuanto más respete a las personas, éstas más confiarán en usted.

70

Reconozca sus debilidades en lugar de resistirse a ellas, ganará más credibilidad y avanzará con mayor velocidad.

71

LAS personas se resisten a tomar riesgos financieros, a menos que los ofrezca alguien con credibilidad. Esto significa que el presentador es más importante que la presentación, y el mensajero, más importante que el mensaje.

72

CON el tiempo, su aspecto físico afectará su confianza, su credibilidad y sus resultados. Por ejemplo, su postura le dice a los demás si usted es de confiar o no. Imagine que el centro de su cabeza está unido a un globo de helio y relaje el resto del cuerpo. El globo lo elevará hasta la postura perfecta, y lucirá más confiable.

⬲ 73 ⬳

POR lo general, las personas no actúan sobre los hechos. Tienden a reaccionar en base a una respuesta emocional. Para ganar credibilidad, usted debe desarrollar objetividad. Esto se logra actuando ante los hechos, en lugar de reaccionar a las emociones.

⬲ 74 ⬳

MEJORE la calidad de su apretón de manos. Es un barómetro instantáneo de su valoración y de su autoestima, y puede elevar ostensiblemente su credibilidad.

⚘ 75 ⚘

LA mayor pérdida de energía mental ocurre durante la autocrítica. Para sacar el mejor provecho, cambie la dirección de esa energía y recuerde continuamente todas las cosas que hace bien. Creer en usted mismo aumentará su confianza y credibilidad.

⚘ 76 ⚘

SU hoja de vida proyecta una imagen de sus logros anteriores. Si no se agregan nuevas habilidades, talentos, o resultados cada año, usted está estancado, y la persona que la mira cuestionará su credibilidad.

⚔ 77 ⚔

POR sobre todo, practique lo que predica. Las personas deben ver lo que escuchan, o usted perderá credibilidad.

⚔ 78 ⚔

LA paradoja de la credibilidad: Cuando usted produce resultados, gana credibilidad. Cuando usted adquiere credibilidad, produce resultados más fácilmente.

⚔ 79 ⚔

NUNCA comience ni difunda un rumor, chisme o comentario negativo sobre alguien. Todo esto hará que usted reduzca sus beneficios y su credibilidad.

≍ 80 ≍

CUANTO mayor sea su confianza, más rápido se evaporarán las dudas que los demás tienen sobre usted.

≍ 81 ≍

RODÉESE de personas que crean en usted.

≍ 82 ≍

PARA aumentar su credibilidad, haga que sus emociones se sometan a sus compromisos.

✐ 83 ✐

A largo plazo, ser honesto genera más confianza por parte de los empleados y de los clientes; amplía sus oportunidades y atrae hacia usted más riqueza que todos los beneficios adquiridos a corto plazo con deshonestidad.

✐ 84 ✐

SI permite que las circunstancias lo dominen o lo consuman, perderá credibilidad. La credibilidad implica controlar las circunstancias y no que ellas nos controlen.

85

UNO de los aspectos más importantes dentro de una sociedad, comité o equipo, es resolver cualquier discordia entre los miembros. Esto es fundamental para que el equipo mejore su credibilidad y sus resultados.

86

CADA vez que compre ropa, mejore la calidad de su ropero. La gente tiende a creer y a respetar más a las personas que usan ropa fina.

87

HACER conjeturas es una amenaza silenciosa para su credibilidad. La mayoría de las conjeturas es incorrecta.

88

NUNCA escriba una orden con una pluma poco costosa.

89

LAS personas notan el cuidado que usted le da a sus dientes. Cuide sus dientes para que luzcan lo mejor posible.

90

CUANTO más tiempo se demore haciendo lo necesario, más pondrá en juego su credibilidad.

REPUTACIÓN

Su reputación es el bien más preciado que posee. Puede influenciar por sí sola los pensamientos y opiniones que la gente tiene de usted y afectar sus actos antes de que lleguen a su conocimiento. Puede moldear las expectativas de una persona, de una organización, de una ciudad o del mundo entero.

Invisiblemente su reputación atrae y rechaza oportunidades todos los días, así usted esté consciente de ello o no. Su reputación es perpetuada por un comportamiento persistente, o alterada por un cambio en el mismo.

Su reputación es un bien personal sagrado. Es una poderosa herencia que puede traerle un futuro exitoso.

✳ 91 ✳

Dé más de lo que le han pagado por algo, y su reputación le traerá más negocios.

✳ 92 ✳

Su reputación se convertirá en su mayor legado, y puede, en última instancia, influir en las próximas generaciones.

93

No hay publicidad más efectiva que una reputación positiva que viaja rápidamente.

 94

Si tiene reputación de ser conformista, las oportunidades no le llegarán.

 **95**

Una vez que usted diga algo, no podrá retractarse.

✲✲ 96 ✲✲

CUANTO más pronto atienda su compañía los reclamos de sus clientes, menos tiempo y dinero gastará restaurando o defendiendo su reputación.

✲✲ 97 ✲✲

CUANTO más tranquilo sea, más fácilmente percibirán sus socios y clientes su capacidad para manejar los negocios. Cuanto más ocupado esté, más oportunidades tendrá de estar tranquilo.

✳ 98 ✳

Su reputación, y por extensión, el respaldo que ella ofrece, son los dos bienes financieros más valiosos que usted posee. Su reputación se torna transferible cuando usted respalda a alguien más.

✳ 99 ✳

Nunca haga comentarios negativos ni difunda rumores sobre alguien. Eso deteriora su reputación y la de los demás.

✳100✳

La única forma de mantener una buena reputación es mereciéndola.

✳✳101✳✳

Sı su reputación está deteriorada, se afectará su credibilidad para alcanzar el éxito.

✳✳102✳✳

Sı desea saber lo poderosa que es la reputación, escriba sobre la reputación de varias personas que usted conozca. Notará fácilmente porque ellas son aceptadas o rechazadas.

✳✳103✳✳

Lᴀs personas realizan actos extraordinarios basadas en la reputación de los demás. Renuncian al trabajo, colaboran con los demás, venden sus bienes, cambian su apariencia, todo gracias a la reputación y autoridad que los demás han ganado.

✳104✳

NUNCA se puede juzgar con certeza el carácter de una persona hasta que se observa cómo actúa cuando está bajo presión emocional.

✳105✳

CONSIENTA a sus proveedores. Son "la base de todo", y hable con todo el personal de su compañía.

✳106✳

UNA mala reputación puede llevar una compañía a la quiebra, y una buena reputación, puede brindarle negocios fructíferos sin necesidad de publicidad.

✳✳107✳✳

ORIENTADAS por la reputación, las personas pagarán mucho más por un artículo nuevo que por uno genérico de igual calidad.

✳✳108✳✳

UNA organización edifica su reputación, al ofrecer constantemente excelentes productos y servicios; al mostrar interés en las necesidades de los empleados y al aportar una parte de sus recursos a la sociedad.

✳✳109✳✳

UNA reputación vigorosa genera autoridad e influencia. La autoridad y la influencia son la base del poder.

✳✳110✳✳

LA medida en la cual las personas le ofrecen oportunidades es, con frecuencia, proporcional a la reputación que lo precede.

✳✳111✳✳

USTED arriesga su reputación cuando se rodea de personas cuya reputación tiene un nivel inferior al suyo.

✳✳ 112 ✳✳

UNA forma de evaluar su reputación, es pensar en lo que
dirían de usted en el apogeo de su éxito.

✳✳ 113 ✳✳

SI dedica tiempo en defender o restaurar su reputación,
usted tiene problemas.

✳✳ 114 ✳✳

PARA recuperar su reputación, con frecuencia es necesario
retroceder y terminar la cosas que dejo incompletas.

✳ 115 ✳

CUANDO le llegan negocios u oportunidades y no sabe de dónde proceden, es debido a su buena reputación.

✳ 116 ✳

SU reputación puede, y viajará más rápido que usted.

✳ 117 ✳

LA buena reputación de una compañía aumenta la confianza del cliente antes de que se cierre un trato. Por esta razón, las compañías con reputación sólida pueden cobrar más que sus competidores.

✳118✳

Se requiere de años para edificar una buena reputación, y sólo de segundos para arruinarla. Restaurar una reputación deteriorada puede tomar el mismo, o más tiempo, del que se necesitó para construirla. En muchos casos, el daño puede ser permanente.

✳119✳

Cuando usted culpa a alguien, deteriora su reputación. Cuando acepta su responsabilidad, la mejora.

✳120✳

Para averiguar cuánto vale la reputación de una compañía, calcule el valor de su "buena imagen". Ese es el bien más preciado de muchas compañías.

Negociación

CASI todo lo relacionado con las finanzas requiere de negociaciones. Cuanto más hábil sea para los negocios, con mayor frecuencia obtendrá lo que desea. Los buenos negociantes son personas que, con antelación, sopesan y evalúan cuidadosamente los resultados de sus palabras. Son particularmente conscientes de la interpretación que la contraparte le dará a sus mensajes. Moldean sus preguntas y actos para obtener las respuestas deseadas.

Los buenos negociantes adquieren el instinto para saber cuándo dar un paso hacia adelante o cuándo retroceder. Saben cuándo equilibrar el tiempo, la información, las finanzas y las preocupaciones. Siempre se aseguran de que la contraparte sienta que también está ganando en la negociación. Tienen un gran poder de convencimiento para concretar magníficos acuerdos.

$$\$121\$$$

CUANDO esté negociando, siempre escuche el punto de vista y los intereses de la otra persona. Es probable que esté dispuesta a brindarle más de lo que usted espera.

$$\$122\$$$

NUNCA haga una propuesta –escrita o verbal– hasta no saber qué desea la otra persona y por qué. Este conocimiento incrementará favorablemente la eficacia de sus propuestas.

123

CON frecuencia, la forma más sencilla de llevar a feliz término una negociación, es eliminando algunos de los riesgos para la otra parte.

124

NUNCA comprometa lo que desea antes de iniciar las negociaciones. Pida el ciento por ciento de lo que quiere sin tener en cuenta ni suponer, si será o no aceptable para la contraparte. Después, podrá negociar cualquier diferencia.

125

Cuando se negocia, por regla general hay más factores en juego que el dinero mismo. Por ejemplo: el control, el orgullo, la seguridad, la salud, la pensión, los deberes, el futuro de los hijos, los impuestos, las opciones, las responsabilidades, los términos, los bienes, las fluctuaciones del mercado, la mercancía, las garantías, los derechos y los intereses, son factores muy valiosos en una negociación. Cuando se tiene pleno conocimiento de todos estos aspectos, los negocios son más productivos y, por ende, las ganancias son mayores.

126

La mejor estrategia para concretar tratos favorables, es tener la certeza de salir bien librado de ellos.

127

EL mejor momento para pedir aumento, es cuando le asignan responsabilidades adicionales.

128

EL mejor momento para asignar responsabilidades adicionales, es cuando se concede un aumento.

129

CUANDO se está negociando, la parte que está mejor informada tiene una ventaja enorme. La información es la moneda de un buen negociante. Entérese primero de todos los hechos y consiga toda la información posible. La preparación rinde sus frutos.

130

MIRAR más allá de sus recursos personales y financieros, puede revelar una alianza estratégica con un competidor o proveedor, esto fortalece su posición en la negociación.

131

CUANDO se está negociando es más fácil pedir más y recibir menos, que recibir poco y regresar después para pedir más.

132

CUANDO conoce *todos* los obstáculos, su posición en la negociación es más ventajosa que cuando sólo conoce algunos obstáculos y luego se entera de que existen más. La mejor forma de averiguar cuáles son todos los obstáculos, es preguntando.

133

EL temor siempre distorsiona la lógica.

134

LLEVE consigo un cheque certificado por un valor diez por ciento inferior al que está dispuesto a pagar. Se sorprenderá de las tantas veces que saldrá con lo que deseaba adquirir.

135

RECUERDE, casi siempre es más fácil comprar que vender. Por lo tanto, el comprador es quien mantiene el equilibrio en las negociaciones, aunque aparentemente no sea así.

136

SI paga en efectivo, siempre negocie un precio más bajo. El vendedor sabrá de inmediato que incurrirá en menos costos al venderle a usted, ya que se evitará una transacción con tarjeta de crédito, un cobro posterior y se ahorrará tiempo.

137

SI no obtiene un precio inferior al pagar en efectivo, entonces cancele con tarjeta de crédito. Además de poder pagar después por algo que puede disfrutar ahora, obtendrá puntos o descuentos que podrá utilizar luego. Esto reduce ostensiblemente el precio de compra.

138

SI está negociando la construcción de una casa nueva, la compra de un bote, de un auto o de cualquier bien material, pagará menos si incluye todos los accesorios en un solo "paquete", en lugar de negociar cada uno de ellos por separado.

139

Es importante notar que en cualquier negociación, los aspectos menos importantes para usted pueden ser los más relevantes para la otra parte. Nunca revele, al iniciar una negociación, lo que es más importante para usted. Con esta actitud, tal vez cambie algo que considera de poco valor por algo significativo para usted.

140

Todo es negociable –en cualquier transacción y en cualquier campo–, desde las grandes tiendas por departamentos hasta los supermercados locales.

141

CONSIDERE la posibilidad de negociar alianzas más estratégicas con sus competidores. Al identificar y trabajar en las fortalezas de ambas partes, se alcanzarán nuevos niveles de eficiencia y se generarán mejores beneficios que los obtenidos individualmente.

142

ES mucho mejor negociar en persona, que por vía telefónica o por correo electrónico. Al estar frente a la persona, se tiene la ventaja de observar el lenguaje corporal y las expresiones, que por lo general, dicen más que las propias palabras.

143

Sı no está dispuesto a negociar con sus clientes, alguien más lo hará.

144

Sı hay una persona que nos debe acompañar en las negociaciones, es aquella que ha tenido una relación neutral con ambas partes. Esta persona ofrece la confianza necesaria para resolver cualquier diferencia y puede facilitar toda negociación.

145

LA mayoría de las decisiones en una negociación, son inicialmente emocionales, luego son racionales.

146

CUANDO se efectúan transacciones que involucran una relación actual, es importante asegurarse de que ambas partes recibirán beneficios. De lo contrario, habrá negociado una solución temporal, que a largo plazo será un problema.

147

DURANTE una negociación es aconsejable no tomar nada a título personal. Si evita hacerlo, podrá ver las posibilidades con mayor objetividad.

148

CUANTO más emocionalmente esté involucrada una parte en la conclusión de un negocio, más complicado será salir bien librado de éste.

149

Sı está negociando con una compañía estatal, primero consiga una copia de su balance trimestral y busque toda la información disponible con su corredor de bolsa o por Internet. Una información detallada sobre los negocios de dicha compañía, puede ayudarle a obtener una posición ventajosa en la negociación.

150

Cuanto mayor sea el papel de la lógica y el análisis en sus negociaciones, más tiempo se prolongarán. Las negociaciones serán más rápidas, si usted arguye razones precisas para que la otra parte actúe de inmediato.

151

CUANTAS más opciones considere la otra parte que usted tiene, mayor equilibrio logrará usted en las negociaciones.

ESCUCHAR

Con frecuencia se dice que la capacidad para comunicarnos eficazmente con los demás, es nuestro bien más preciado. La habilidad para producir resultados constantes, está relacionada directamente con el desarrollo personal en este arte. La comunicación implica hablar y escuchar. Hablar es una cuestión de tonalidad, fraseo, pausas y drama. Aunque siempre admiramos la capacidad para hablar, con frecuencia nos resistimos a desarrollar la capacidad de escuchar.

Escuchar, es recibir un mensaje, independizándolo de los filtros de nuestras creencias, juicios y determinaciones. Cuando se practica activamente, el escuchar nos permite confirmar el valor de alguien y no dejamos que su mensaje sea filtrado por nuestro diálogo interno o prejuicio. Esto desencadena una mayor compresión entre el que escucha y el que habla. Es a través de esta comprensión que las posibilidades no escuchadas previamente –y las oportunidades– se presentan.

≋ 152 ≋

SIEMPRE aprenderá más escuchando que hablando.

≋ 153 ≋

A menudo, la gente no dice abiertamente lo que piensa. Siempre hay que ir tras lo que la persona en verdad quiere decir. Hay mentiras y verdades en lo que cada persona dice.

≥ 154 ≤

Grabe su presentación. Mientras la reproduce pregúntese si compraría lo que usted vende.

≥ 155 ≤

La mayoría de las personas necesita y busca a alguien que le escuche con atención.

≥ 156 ≤

Es posible educar su oído para escuchar. Por ejemplo, yo siempre escucho la palabra "oportunidad". ¡Inténtelo y se sorprenderá de lo mucho que podrá escuchar! De mis empleados escucho cómo puedo "conocerlos". De mis clientes escucho cómo puedo hacer la "diferencia". Y usted, ¿qué escucha?

≳ 157 ≲

Sı dedica más tiempo a formular preguntas apropiadas, en lugar de dar respuestas u opiniones, su habilidad para escuchar se incrementará.

≳ 158 ≲

Sı le pregunta a los posibles compradores de sus servicios, "¿cuáles consideran ellos que son los beneficios específicos de trabajar con usted?", con frecuencia le darán suficientes y convincentes razones.

⋛ 159 ⋜

MOSTRARLE a la gente que en verdad se preocupa por ella, a menudo es tan fácil como escucharla.

⋛ 160 ⋜

PARA obtener menos resistencia cuando se comunica, considere la posibilidad de cambiar la vía de comunicación. Por ejemplo, algunas personas responden mejor a los mensajes verbales y otras a los escritos. Inténtelo. Se sorprenderá gratamente.

≥ 161 ≤

ACTUAR ante lo que sucede es, por lo general, más efectivo que reaccionar. Reaccionar involucra un factor emocional que con frecuencia limita su capacidad de escuchar y origina la pérdida de objetividad.

≥ 162 ≤

LAS únicas personas dignas de escuchar sobre sus metas, son aquellas que lo apoyarán de corazón y lo ayudarán a alcanzarlas.

≳ 163 ≲

Es buena idea descubrir las necesidades de sus clientes, antes de explicarles porqué usted tiene el producto o servicio apropiado para ellos. Escuchar previamente, a menudo provee la clave para cerrar un negocio.

≳ 164 ≲

El desempeño individual y de grupo será más rápido, cuando la estructura de la organización provea un sistema de comunicación correcto y honesto, al hablar, al escuchar y al debatir.

⋚ 165 ⋚

LAS oportunidades están en todas partes. Escuche antes de hablar, y sintonizará su radar personal.

⋚ 166 ⋚

NUNCA interrumpa cuando alguien está hablando. Es grosero, descortés e irrespetuoso. Le acarreará problemas a largo plazo.

⋚ 167 ⋚

COMENZAR cualquier escrito con "como tal vez ya lo sabe" o "como usted sabe" o "como indudablemente ya lo habrá escuchado", lo coloca en alto riesgo de insultar al lector en caso de que él aún no lo sepa, o no lo haya escuchado.

⋛ 168 ⋜

COMIENCE a practicar sus habilidades para escuchar, así como un pintor ensaya sus pinceladas. Cuando lleve esta habilidad al nivel de expresión artística, incrementará su capacidad para escuchar cosas que otras personas no pueden...y al mismo tiempo, aumentará su eficiencia.

≥ 169 ≤

SIEMPRE escuche a las personas como si hablaran ciento por ciento con la verdad. Sea que usted esté de acuerdo o no, la mayoría de las personas dice lo que, desde su punto de vista de la realidad, es verdad.

≥ 170 ≤

ESCUCHE el 85 por ciento del tiempo, y hable el 15 por ciento. Su mundo cambiará y usted aprenderá más. La gente aprecia al buen oyente.

≳ 171 ≲

CUANDO escuchamos nuestra actitud es, casi, totalmente egoísta. Escuchamos nuestro diálogo interno más de lo que escuchamos a los demás. Usted puede cambiar su diálogo interno y convertirse en un oyente más eficaz, si a diario absorbe la energía positiva de las personas, escucha grabaciones y lee libros.

≳ 172 ≲

AL prestar atención deliberadamente a una conversación, le dará valor a la persona que habla y aumentará su eficacia para escuchar.

≳ 173 ≲

LAS personas se sentirán más seguras en su compañía y hablarán con sinceridad, cuando saben que usted las escucha con atención.

≳ 174 ≲

CUANDO las personas escuchan la verdad, interrumpen su diálogo interno y aprenden a un ritmo más veloz.

≳ 175 ≲

LA arrogancia se traduce en escuchar su diálogo interno y no el mensaje de la otra persona.

≥ 176 ≤

ESCUCHAR puede ofrecer una perspectiva tan poderosa como ver. Con frecuencia, brinda una ventana para las oportunidades y acciones que de otra forma se perderían.

≥ 177 ≤

LA palabra escuchar significa hacer silencio.

≥ 178 ≤

LAS personas que mejor escuchan, son aquellas que ya alcanzaron el éxito en aquello que usted está buscando.

≳ 179 ≲

Escuche a las personas que atraen y ganan mucho más dinero que usted. Por lo general, son un estímulo e inspiración para los demás.

≳ 180 ≲

Lo que le gusta, lo que desea y lo que busca, no es tan interesante para las personas, como lo que usted hace para conseguirlo.

≳ 181 ≲

Si escucha con cuidado, sabrá que la mayoría de las personas clama por amor.

EMPRESARIADO

El espíritu empresarial ha desarrollado una mística carismática en la sociedad americana y en muchos países del mundo. Con exactitud, ¿cuál es el espíritu que se ha convertido en una parte importante de nuestro entorno cultural? Para definir el espíritu empresarial, primero debemos definir al empresario –la persona que encarna tal energía–. El empresario es el portador del siempre cambiante portafolio de productos e ideas, que exhibe una gama de posibilidades que seduce a la gente. Convirtió el paradigma tradicional de las ventas en algo más importante y emocionante.

El empresario es una persona que asume riesgos; que se involucra directamente con el arte y el proceso de crear –de la nada– algo valioso para alguien más. El empresario se ha convertido en el "pararrayos" de las corporaciones americanas –y del gobierno–, y está transformando constantemente la economía del mundo.

182

EL empresario ha sintonizado su radar personal en una frecuencia que ve y escucha específicamente las oportunidades. Las oportunidades están en todas partes cuando usted se sintoniza dentro de esta frecuencia.

183

OLVÍDESE de la lotería. Apuéstese a usted mismo.

SI usted es más grande que sus errores y fracasos, se recuperará y progresará más rápido. Si se paraliza con ellos, entonces necesitará adquirir más conciencia de su exclusividad y de su valor. Cuanto más rápido se desprenda emocionalmente de sus errores y fracasos, más espontáneamente podrá generar nuevas oportunidades y resultados.

DOMINAR su trabajo significa dominar la capacidad de reemplazarse a sí mismo. Esto le brinda mejores oportunidades y lo lleva a la autorrealización.

186

CUANTO más elevado sea su propósito, mayor será su vitalidad al final del día.

187

CUANTO más se demore analizando cualquier oportunidad o situación, más razones tendrá para retener, demorar, e inadvertidamente arriesgar la pérdida de las mismas.

188

NO emprenda negocios pensando sólo en obtener beneficio. Genere un buen producto o servicio para que al combinarlo con su capacidad empresarial, el resultado sea óptimo.

189

LA confianza y la certeza lo llevarán más lejos que cualquier otras cosa.

190

CUANTOS más riesgos le evite al cliente en sus productos y servicios, con mayor facilidad incrementará las ventas.

191

CUANTA más complejidad elimine de sus productos y servicios, más rápido los venderá.

192

LA forma más rápida de atraer un mayor número de oportunidades a su compañía, es superando constantemente las expectativas.

193

LOS empresarios han desarrollado una gran habilidad para estar por encima de las circunstancias, en lugar de dejarse sorprender y verse detenidos por ellas. Debido a que sus resultados no están relacionados con las circunstancias, éstas nunca son responsables ni culpables de las consecuencias.

194

EMPLEE el tiempo libre para el autodesarrollo. Escuche cintas de audio, pedagógicas o de superación personal, mientras conduce al trabajo. Lea un libro que lo anime antes de dormir. Siempre nutra sus neuronas con energía positiva. ¡Comience hoy!

195

ESTÉ dispuesto a confiar en sus instintos, especialmente si no puede encontrar respuestas en ninguna parte.

196

FÍJESE un ideal, filosofía o razón, que lo mantenga despierto todo el tiempo.

197

CUANDO planifique el futuro de su compañía, siempre considere la posibilidad de recomenzar desde cero. Así podrá decidir de una forma que vaya de acuerdo con las metas, y no con los logros.

198

LA crítica puede ser una espada de doble filo. A algunas personas las provee del combustible necesario para emprender una acción efectiva, pero a otras, les puede inhibir su creatividad y su disposición para tomar riesgos. El empresario debe estar consciente del efecto que su crítica ejerce sobre los demás.

199

A menudo, el dinero no basta para motivar a la gente. ¿Hay algo que la motive más que el dinero? El tiempo libre, la equidad, la seguridad (seguro de salud, plan de retiro, etc), formar parte de un grupo, contribuir a una causa, el reconocimiento, el aprendizaje, o una perspectiva diferente del futuro.

200

LA diferencia entre el novato y el profesional no radica en la incapacidad del novato para producir los mismos resultados. Radica en que el profesional puede hacerlo constantemente, una y otra vez, y el resultado siempre será predecible.

201

La única forma de crear nuevos estándares operacionales es desafiar los paradigmas establecidos. Este enfoque puede originar mejores oportunidades que trabajar con base en los estándares o modelos existentes.

202

Si depende sólo de un método de mercadeo para sus productos y servicios, va directo a una crisis. *Nada* dura para siempre.

203

EL cliente satisfecho vuelve. El cliente satisfecho trae más clientes. Para que los clientes se entusiasmen con sus productos y servicios, muestre entusiasmo. El entusiasmo es contagioso.

204

LO que distingue a una compañía empresarial es su capacidad para innovar, responder, modificar y adaptarse a un ritmo asombroso.

205

Cuando una organización crece rápidamente, algunas personas se descartan por sí solas, generalmente porque el ritmo de crecimiento va más allá de su capacidad física o emocional. Permitir su salida provee el espacio necesario para atraer y reclutar nuevos talentos.

206

Para incrementar su eficiencia, someta sus emociones a sus obligaciones.

207

SIEMPRE busque un mercado en expansión. Es más fácil posicionarse en un mercado en crecimiento que gastar esfuerzos en uno maduro o saturado. Vaya donde fluye la expansión y recibirá una mayor recompensa a sus esfuerzos.

208

LA CARGA emocional contenida en la forma como está cumpliendo sus propósitos, será una de las barreras más grandes para el cambio. El cambio es más sencillo cuando se desprende de sus inversiones personales en tiempo, energía y compromiso.

209

LA gran mayoría de la gente gasta una buena cantidad de esfuerzo y dinero para salvar lo que ya tiene. Sin embargo, la gente altamente exitosa, gasta una buena cantidad de dinero y esfuerzo arriesgando lo que ya tiene, para conseguir lo que desea.

210

SU capacidad personal para manejar proyectos más valiosos aumentará cuando se aprecie más a sí mismo.

211

TODO el éxito proviene de una buena combinación entre la implementación y el conocimiento. El conocimiento no tiene sentido cuando no hay acción.

 212

LA causa más común de bajos resultados es la falta de acción.

DINERO

La cultura corporativa continúa encaminada hacia un equilibrio entre el trabajo y otros valores, tales como la familia y el ocio. Sin embargo, el dinero todavía se considera la principal fuente de seguridad, desarrollo de alternativas y de comodidad, para casi la totalidad de los estadounidenses y, de hecho, para gran parte del mundo moderno. Este exponente máximo del éxito es responsable de la motivación personal, empresarial y estatal en todo el mundo.

El dinero es un bien que abunda en los Estados Unidos, debido a que los negocios continúan desarrollando centros de utilidades, basados en el suministro de tecnología, en la innovación y en el talento.

La mayor cantidad de dinero se generará por parte de aquellas empresas e individuos que hayan desarrollado una conciencia de servicio, combinada con una capacidad para impulsar su tecnología, innovación y talento.

213

EL primer paso para generar riqueza es gastar menos de lo que se gana.

214

INVIERTA del 5 al 10 por ciento de su ingreso anual en la capacitación y desarrollo de su propio negocio. Si trabaja para una compañía, pídale que subsidie o pague su capacitación. Si su compañía no está interesada en su desarrollo personal, abandónela.

$ 215 $

PARA incrementar sus conocimientos financieros, lea mensualmente, por lo menos, dos revistas o diarios financieros conocidos. Se hará más hábil en manejar su dinero y podrá hacer que éste trabaje mientras usted duerme.

$ 216 $

CUANDO hable con su contador personal, recuerde siempre que usted lo maneja a él. Nunca espere que él lo maneje a usted. Nunca asuma que su contador le dirá algo que usted nunca le preguntó.

217

SER hábil en su trabajo no necesariamente le hará ganar más dinero. Estar decidido a ganar más dinero y fomentar sus habilidades es lo que lo hace ganar dinero.

218

A fin de incrementar su ingreso personal en su empresa, identifique la división más productiva y consiga que lo transfieran allí. Encuentre los productos o servicios más productivos de esa división. Localice a la persona que venda la mayor cantidad de esos productos o servicios, o dirija esa división, y aprenda de ella todo lo que pueda enseñarle, tan rápidamente como sea posible. En cuestión de pocos meses, su ingreso deberá aumentar sustancialmente.

219

PAGUE a sus proveedores claves por adelantado. Generalmente le ofrecerán tentadores descuentos y le darán incentivos para conservar su cuenta. También se ahorrará mucho papeleo.

220

EL incrementar su ingreso personal por hora, o el número de horas de labor, normalmente no le reportará una ganancia

129

financiera tan grande como la que obtendrá si invierte sabiamente su dinero. Haga que su dinero trabaje permanentemente más que usted.

$ 221$

CUANDO otro ser humano lo atienda, dele propina para que se sienta satisfecho. Este gesto incrementará su buena reputación.

$ 222$

CUANTAS más recompensas y menos riesgos tengan sus empleados, más rendirán. El temor a un riesgo, o recompensas inadecuadas, a menudo causa parálisis en el desempeño de los empleados.

223

Si está pensando en solicitar un préstamo, quizá sea más fácil concentrar su energía en incrementar sus negocios para generar el dinero que necesita, en lugar de desviar la atención de sus negocios para concentrarse en el proceso del préstamo.

224

Nunca preste dinero a sus parientes, a menos que pueda vivir sin recuperarlo.

225

Sɪ es necesario pedir prestado, las siguientes pueden ser algunas fuentes de dinero más fáciles que su banco: planes de jubilación, pólizas de seguro, planes de pensiones, prestamistas, hipotecas, parientes, proveedores e incluso sus clientes.

226

Pᴀɢᴀʀ por adelantado los servicios, o pagar cuando estos se prestan, es esencial para la integridad de su organización. A diferencia de muchos productos, los servicios tienen su mayor valor en el momento en que se prestan. Pruébelo: Cuanto más tiempo espere para cobrar su dinero por servicios prestados, menos oportunidades tendrá de cobrarlo.

$ 227 $

EN los Estados Unidos es más fácil comprar cualquier cosa que venderla. Cerciórese de contar hasta diez antes de comprar una casa, un avión, un automóvil, un bote, o cualquier otro bien que en algún momento pueda poseer.

$ 228 $

LA manera menos costosa de financiar su negocio, es haciendo que sus clientes le paguen por adelantado por sus servicios o productos.

229

ASEGÚRESE de ser fiscalmente responsable de su futuro invirtiendo en un plan de jubilación. El gobierno quizás no tenga los medios para asumir su carga financiera posteriormente. Además, los descuentos tributarios actuales pueden ayudarlo. No los ignore.

230

CUANTO más facilite a sus clientes la forma de pago, más rápido le pagarán. Intente cualquiera de las siguientes formas: pago con tarjeta de crédito por medio de una página web o un número telefónico gratis; incluir un sobre con el porte de reenvío ya pagado; arreglar un "crédito fácil e instantáneo" para sus clientes con una empresa de tarjetas de crédito; pago con cheque electrónico o transferencia automática de fondos;

envío por pagar; descuento por pago rápido; obsequio por pago rápido; y/o un incremento de precio por mora en el pago.

$ 231$

HAGA una lista de los proveedores que se beneficiarán del crecimiento de su negocio. Estos son los proveedores con mayores posibilidades de suministrarle los recursos que necesita, porque tienen un interés directo en el futuro de su empresa. Pueden proporcionarle a usted la ayuda financiera, información, tecnología, y talento que lo impulsarán, y ellos se beneficiarán directamente del crecimiento empresarial que sus recursos les proporcionan.

232

MANTENGA siempre abiertas las líneas de crédito en sus cuentas bancarias personales y de negocios. Estas reservas pueden proporcionarle de inmediato el dinero en efectivo que necesita para manejar una crisis o una oportunidad que se le presente.

233

EN un negocio de servicios personales, sus honorarios generalmente aumentarán de acuerdo a su autoestima, y no necesariamente según su nivel de conocimientos o resultados.

234

CADA uno o dos años, lleve su declaración de impuestos a otro contador para tener una segunda opinión. Este análisis fresco, generalmente hará valer su inversión con respecto a descuentos tributarios o a buenas perspectivas de rebaja.

235

CONTROLAR los costos no es tan importante como controlar los ingresos. Los costos tienen un potencial finito, mientras que los ingresos tienen un potencial infinito. Concentre sus recursos en generar más ingresos. Allí hay un mayor potencial.

236

COMUNIQUE siempre y prontamente a sus acreedores cualquier impedimento que tenga para realizar los pagos de sus deudas, o ellos lo demandarán, y usted tendrá mayores problemas al tener que gastar sus escasos recursos.

237

Sı las cosas a menudo le parecen demasiado costosas, no está teniendo suficientes ingresos o su nivel de vida es demasiado alto, es mucho más fácil incrementar sus ingresos que disminuir su nivel.

238

Por sí mismo no le será fácil construir un imperio financiero, a menos que esté dispuesto a ayudar a construir los imperios financieros de otros. La prosperidad atrae prosperidad.

239

CUANTAS más personas pueda influenciar positivamente, más altos serán sus ingresos.

240

TENGA en cuenta que siempre es más fácil prestar dinero que recuperarlo.

241

NO preste dinero a menos que se haya asegurado, al ciento por ciento, con los activos de su deudor, y éste pague intereses por mora o incumplimiento. Además, preste únicamente si recibe un porcentaje de las utilidades del negocio que su préstamo hizo posible.

242

HAGA una lista de sus mejores capacidades, aquellas en las cuales es mejor. Incrementar sus actividades teniendo en cuenta sus capacidades y delegar todo lo demás, le garantizará mayores ingresos.

243

SI usted cree que atrae la riqueza, atraerá más oportunidades y dinero. Debe estar mentalmente preparado para ser multimillonario, o su riqueza será temporal.

Productividad

Históricamente, los negocios incrementaron su productividad al mejorar sus métodos de eficiencia y su capacidad gerencial. Los beneficios en productividad, tanto personal como financiera, solían estar limitados al universo físico. Sin embargo, como nuestra economía se ha redefinido por su tecnología y talento, y el paradigma de la eficiencia y la productividad ha cambiado de la cantidad de productos físicos que elaboramos, a la calidad de las interacciones que tenemos, la velocidad para generar una mayor productividad se agilizará en la medida en que las relaciones humanas sean más eficaces.

PARA lograr un incremento importante en la productividad, una organización debe comprometerse a eliminar las discordias entre sus empleados, generando al mismo tiempo un entorno de cooperación, responsabilidad y rapidez.

SIN importar cuán incómodo pueda ser, la toma de decisiones y la producción deben acelerarse. Las organizaciones lentas se tornarán obsoletas a medida que una época o era de respuestas más veloces, creen nuevos niveles industriales. El nuevo lema es "Entregar ya".

245

SIEMPRE delegue los proyectos a las personas que puedan ejecutarlos bien, de otra manera, los empleados se sentirán derrotados y asumirán una baja autoestima, lo cual disminuirá su productividad.

$ 246 $

PARA incrementar su productividad personal, haga una lista de sus fortalezas. Haga énfasis en las actividades en las cuales utiliza tales fortalezas, y delegue sus debilidades en alguien que ha hecho de ellas sus fortalezas.

$ 247 $

CONCÉNTRESE siempre en su objetivo principal, no en las barreras o circunstancias que parezcan interponerse en su camino. Un mayor nivel de convicción romperá cualquier barrera o circunstancia, e incrementará su productividad.

248

Un negocio de servicios estará más limitado por la actitud emocional de su personal y de los propietarios, que por cualquier otro factor. Para incrementar la productividad, elimine las discordias.

249

Cuanto más productivo sea su personal, más alta estará su moral. Si la moral es baja, haga lo que esté a su alcance para impulsar la productividad, así la moral del personal aumentará. Si la moral es constantemente baja, quizá haya un exceso de personal, y/o necesite comunicar mejor sus ideas.

250

HAGA una lista de todos los proyectos no terminados o a medio terminar, que constituyan una carga. El llevarlos a término de manera responsable, delegarlos o eliminarlos, hará que su teléfono suene con nuevas oportunidades. Las cargas le restan velocidad a usted y al ciclo de sus negocios.

251

CALIFIQUE o evalúe todas las actividades individuales o de grupo, que tengan un valor adicional para sus clientes. El crear incentivos que se basen en alcanzar los máximos niveles en áreas claves, incrementará la productividad.

252

EL azúcar y la cafeína son estimulantes a corto plazo, y le roban a su cuerpo energía y productividad a largo plazo.

253

LOS empleados asalariados pueden llegar a sentirse satisfechos de sí mismos. Usted puede generar más productividad y una alta autoestima para sus empleados, proporcionándoles pagos e incentivos basados en su rendimiento.

254

LAS personas consagradas a su trabajo generalmente van más allá de su propia comodidad y producen a un nivel más alto. La gente se consagra cuando tiene un propósito elevado más allá de sí m ismo.

255

CERCIÓRESE de tener en su casa un computador, un fax y una conexión a Internet. A medida que la nueva tecnología esté disponible, llévela a su hogar. Eso revertirá en una mayor productividad e ingresos.

256

En ocasiones puede ser más productivo trabajar fuera de la oficina que en ella. Piense en trabajar por fuera, quizá en la biblioteca o en su hogar.

257

Los estudios indican que las personas son más productivas antes del almuerzo que después. ¿Por qué no retrasar la hora del almuerzo una hora más tarde, o adelantar una hora el inicio de sus labores? ¿De 8 a 1 para todos?

258

En los negocios competitivos, un atraso en el trabajo disminuirá su capacidad para incrementar las ventas. En una industria no competitiva, un atraso incitará a nuevos competidores.

259

ESTAR ocupado y ser productivo, no están necesariamente relacionados.

260

LA forma más rápida de cambiar los resultados es cambiar a las personas que los producen.

261

Sı dificulta demasiado las asignaciones y tareas que delega a los demás, hará más lento su proceso y resultados. Haga énfasis en lo importante y minimice las explicaciones detalladas; así los proyectos se llevarán a cabo más pronto.

262

Puede ser más productivo ilustrar sus argumentos, que limitarse a las palabras. La gente piensa en imágenes, y una imagen vale más que mil palabras.

263

VIAJE siempre con la tecnología necesaria para recuperar su correo electrónico, enviar faxes e imprimir documentos. Eso incrementará su eficiencia, acortará su tiempo de respuesta y elevará su productividad.

264

EN mercadeo, los esfuerzos preventivos son generalmente más productivos y provechosos que los esfuerzos correctivos.

265

CUANDO los empleados tienen algo que ganar o que perder, su productividad aumentará.

266

LA vida tiene un flujo natural. Si encuentra demasiada resistencia en su empresa, quizá deba tomarse un tiempo libre para adquirir nuevas perspectivas, o deba pedir ayuda.

267

POR lo menos una vez al año, consulte a un equipo de expertos en computación que pueda eliminar documentos, procedimientos, o cualquier otro elemento que disminuya la marcha de su organización. Una utilización y aplicación apropiadas de nueva tecnología le hará más productivo que sus competidores, mientras que el no actualizarse, deteriorará rápidamente sus márgenes de utilidad y su capacidad para competir eficazmente.

268

CUANDO el costo de sus ventas esté aumentando persistentemente, puede ser más productivo utilizar esos recursos para comprar a sus competidores. Con frecuencia podrá adquirir segmentos del mercado, canales de distribución, instalaciones, talento, y/o tecnología, más rápido y a un menor costo, que desarrollándolos usted mismo.

269

EL mejor lugar para usar palabras complicadas es un crucigrama. Las palabras complicadas a menudo son mal entendidas y disminuyen la productividad.

270

Sᵢ quiere una lista de todos los cuellos de botella o de los obstáculos de su organización, pídale a sus empleados que hagan una lista que incluya todo aquello que no les gusta realizar.

271

Cᴏɴᴛʀᴀᴛᴀʀ personas competentes para hacer el trabajo es más productivo a largo plazo, porque sin duda lo harán bien y finalmente producirán más resultados. Si contrata a personas menos competentes, inicialmente puede ahorrar dinero, pero con seguridad gastará más tiempo solucionando los errores, o tendrá que hacer el trabajo usted mismo.

272

CUALQUIER empresa que expida rutinariamente facturas al mismo cliente, puede ahorrar papel, tiempo, dinero y trabajo, facturándole electrónicamente y obteniendo autorización para realizar deducciones electrónicas de una tarjeta de crédito o de una cuenta bancaria. Ofrezca a sus clientes incentivos para que acepten el pago electrónico de sus facturas. Le pagarán más rápidamente y la operación será más eficiente. Mejorará su clientela.

273

RECUERDE nutrirse con regularidad. Usted no puede mantener o incrementar su productividad sin alimentarse. De no ser así, se sentirá vacío y su productividad se verá afectada.

TIEMPO

¿Qué es creado por el hombre, es una completa ilusión, se agota y tiene más valor que el dinero? La respuesta es: *el tiempo*. A diferencia del viejo refrán de la abuela, el tiempo ya no es dinero. El dinero está disponible en grandes cantidades; el tiempo no. Empresas que no tenían valor o no existían ayer, tienen miles de millones (sí, *miles de millones*) en valores de la noche a la mañana. El tiempo ha perdido su relación con el dinero y con los resultados.

Un acceso más amplio a Internet y a otras maravillas tecnológicas, nos ha permitido trascender el tiempo. Podemos viajar a través del ciberespacio y visitar instantáneamente sitios a medio mundo de distancia. El ciberespacio nos permite ser vistos y escuchados en múltiples lugares alrededor del mundo, a través de redes en tiempo real. Oprimiendo una tecla o pulsando el botón de un mouse, puede ahora lograr hazañas en el aspecto laboral o lúdico, similares a las que hizo la invención de la luz eléctrica con la oscuridad o el automóvil con los viajes.

La tecnología médica también nos ha permitido trascender el tiempo. Nuestra expectativa de vida está aumentando, hasta el punto que podemos esperar vivir para ver múltiples generaciones de nuestros descendientes. Considerando las innovaciones en la investigación biogenética, quizá pronto sea posible vivir lo suficiente para asistir a la fiesta de cumpleaños número cien de nuestros nietos.

Si podemos trascender el tiempo y tenemos una mayor esperanza de vida, pareciera como si contáramos con todo el tiempo del universo. Sin embargo, la desventaja de tener el mundo al alcance de la mano, es que cuanto más rápida sea la tecnología que nos permite alcanzar nuestras metas, más metas habrá que alcanzar. A medida que la tecnología penetra cada vez más en nuestras vidas, y el valor de una vida equilibrada adquiere preeminencia sobre el dinero, el tiempo se ha convertido en el recurso más escaso para individuos y corporaciones.

🕐 **274** 🕐

SER complaciente es irrespetar el bien más valioso e irremplazable, el tiempo, lo cual conlleva los mayores riesgos potenciales para cualquier persona o empresa.

🕐 **275** 🕐

CUANTAS más apreciaciones, juicios y evaluaciones se formule, más tiempo permanecerá atascado. Las personas que aceptan la responsabilidad y alcanzan la cima más rápido, tienden a prejuzgar menos y no analizan en exceso las situaciones.

🕐 **276** 🕐

LA mayoría de las personas asocia sus resultados con la cantidad de tiempo que invirtió. Si usted cambia su modo de pensar al de: "los resultados no tienen relación con el tiempo", esta nueva perspectiva dará origen a posibilidades antes insospechadas.

🕐 **277** 🕐

CUANTO más atractiva resulte su presentación a la lógica de un comprador potencial, más tiempo se tomará éste para decidir, y más tiempo tardará la venta.

278

USTED debe deshacerse rápidamente del bloqueo emocional causado por cualquier fracaso personal, retroceso o desilusión. La libertad de avanzar hacia nuevas oportunidades y producir resultados, proviene de vivir en el presente, no en el pasado.

279

GASTAR más tiempo y/o esfuerzos es un juego finito que no produce resultados. Modificar su pensamiento y sus objetivos es un juego infinito y, por tanto, más merecedor de su atención y recursos.

280

SIEMPRE delegue actividades que requieran menos experiencia de la que usted tiene. Esto le dará tiempo para ver y actuar ante oportunidades que de otro modo pasarían de largo.

281

HAGA un seguimiento detallado de todas sus actividades diarias, y luego, determine cuáles producen mayores resultados o beneficios. Delegue todas las demás actividades a otra persona que tenga la experiencia, o contrate la experiencia que necesite. ¡Hágalo ahora!

282

NO desperdicie su valioso tiempo en preocuparse por lo que usted cree que otras personas están pensando. No sólo es pérdida de tiempo, sino que también incurrirá en presunciones equivocadas.

283

NINGUNA organización puede crecer más allá de su capacidad para mantenerse organizada. La falta de organización es un irrespeto al tiempo.

284

SI usted o su organización no proporcionan un servicio "instantáneo", "rápido", "aquí y ahora" y de respuesta inmediata, estará enviando sus clientes a sus competidores.

285

PARA ahorrar tiempo, asegúrese de eliminar de su producto cualquier proceso o sistema que no proporcione un valor adicional al cliente. La mejor forma de saber qué no proporciona un valor adicional, es preguntando.

⏱286⏱

SI usted se demora en llevar a cabo una idea, alguien más, inevitablemente, descubrirá la misma idea y la pondrá en práctica. Aplazar es uno de los gastos empresariales más onerosos.

⏱287⏱

PARA la mayoría de los atareados ejecutivos, una buena agenda o planeador manual o electrónico, es una herramienta indispensable. Si trabaja sin uno, estará perdiendo un tiempo valioso.

⏰288⏰

Habitúese a tener un lugar para cada cosa y a tener cada cosa en su lugar. Gastará menos tiempo buscando afanosamente las cosas.

⏰289⏰

Haga una lista de todo aquello que lo está deteniendo. Luego, emprenda cada tarea, una a la vez, hasta que quede libre.

⏰290⏰

Cuanto más tiempo consuma resolviendo problemas, menos capacidad tendrá de concentrar sus recursos en generar oportunidades. Resuelva los problemas rápidamente y por completo. Automatice sus sistemas de respuesta para que en el futuro los mismos problemas se resuelvan por completo, sin tener que acudir nuevamente a valiosos recursos humanos.

291

Si nutre su mente, su cuerpo y su espíritu, su tiempo se expandirá. Obtendrá una nueva perspectiva que le permitirá lograr muchas más cosas.

292

A medida que su tiempo se vuelva más valioso, cerciórese de invertir y de actualizarse mediante sistemas y tecnologías más eficaces.

293

ACTUALICE anualmente su lista telefónica personal y de negocios. Invertirá menos tiempo en una futura búsqueda.

294

ESTÉ dispuesto a eliminar todo lo viejo para crear algo nuevo. Actualice con regularidad su vestuario, su auto y todos sus accesorios personales. Se mantendrá vivo, vibrante y progresivo.

295

OCUPE parte del tiempo que dedica a ver televisión en leer una revista de comercio o de computación. Aumentará

167

sus conocimientos, será más eficiente en su trabajo y conocerá nuevas oportunidades adicionales para obtener mejores resultados con menos esfuerzos.

296

Si su mente está confusa y sus sentidos no están claros, no es buen momento para tomar decisiones. Una claridad mental y un fácil acceso a sus habilidades innatas vienen sin esfuerzo y proporcionan mejores resultados.

297

Esperar en una fila, obtener un tono de ocupado y tener que esperar, son una pérdida de tiempo que molesta a la mayoría de las personas y origina que muchos vayan a otra parte para obtener una respuesta más rápida a sus deseos y necesidades.

PIENSE en reestructurar completamente su trabajo (o toda su empresa) para una máxima productividad. Uno de los ejecutivos más eficientes que conozco, envía por Internet la información sobre la que está trabajando a una empresa localizada a medio mundo de distancia, donde trabajan en sus proyectos mientras él duerme. Al día siguiente, sus proyectos están mucho más cerca del objetivo, y listos para que él les dedique su atención.

LA mayoría de las personas programa citas y reuniones que tienen un tiempo inicial específico, con poco énfasis en el tiempo de "culminación". Por tanto, con frecuencia, se extiende y desperdicia innecesariamente. Para respetar más su tiempo, establezca una hora específica de inicio y final en todas las reuniones.

🕐300🕐

REALICE o solicite una programación escrita de los temas a tratar en todas sus reuniones. Si no hay una, solicítela, o proporciónela. La productividad y la eficiencia del tiempo de sus reuniones se incrementarán.

🕐301🕐

CUANDO su negocio es más importante que su familia o su cuidado personal, es señal de que no está delegando lo suficiente.

🕐302🕐

Los proyectos a los que dedica su concentración adquieren impulso. Las distracciones siempre frenan el impulso y los resultados de cualquier proyecto. El Permitir distracciones demuestra falta de respeto por su tiempo.

🕐303🕐

Esperar, para recibir un servicio, es una contradicción.

🕐304🕐

Para ganar tiempo, lleve una grabadora de mano y registre allí sus pensamientos todos los días; de otro modo, se perderán algunas de sus mejores ideas. P.S.: Yo grabé todo este libro, camino al trabajo, durante el transcurso de un verano.

CONFRONTACIÓN

Generalmente restringimos el uso de la palabra "confrontación" a situaciones en las cuales debemos comunicar a otros, lo que con frecuencia se consideran verdades difíciles para ellos. Pero la confrontación más difícil es la que se realiza con uno mismo. Las personas de gran éxito saben que no hay confrontación verdadera fuera de sí mismos, si antes no se ha presentado confrontación interior. La autoconfrontación nos proporciona nuevos niveles de vitalidad, libertad y da claridad a nuestros propósitos.

Mientras la mayoría de las personas realiza esfuerzos extraordinarios para modificar su comportamiento, buscando evitar la confrontación, las personas altamente eficientes estimulan activamente la retroalimentación y orientan su comportamiento y su rendimiento. En lugar de considerar la confrontación como causante de molestias, la aprecian como un medio de transformación. Por ejemplo, la confrontación se ha convertido en parte del entorno en algunas culturas corporativas, ésta les permite canalizar de manera más apropiada la energía para actuar positivamente. La esencia de la confrontación es descubrir la verdad. Al hacerlo, nacen nuevas perspectivas y se tiene acceso a resultados antes insospechados.

Cuando interpretamos la confrontación como una contribución, es bienvenida. Cuando la sentimos como un ataque, surge la necesidad de presentar defensas y maniobras protectoras. Las personas altamente eficientes siempre verán la confrontación como una contribución. Para alcanzar mayor eficiencia, debemos aceptar los frutos de la confrontación en lugar de reaccionar para evitar una molestia.

⇨305⇦

Si usted se queja o reconoce que algo le falta en su vida, refuerza esa carencia. Confronte ese hábito negativo reconociendo regularmente lo que tiene. Eso incrementará su actividad personal.

⇨306⇦

TOMAR las cosas como algo personal, distorsionará su capacidad para responder eficientemente.

⇨307⇦

LA persona más difícil de confrontar será siempre usted mismo. Sin embargo, una vez que confronte un problema en su interior, éste desaparecerá, brindándole una nueva sensación de libertad.

⇨ **308** ⇦

SI permanece en la creencia de que los problemas existen en su exterior, ellos estarán fuera de control. Si ve los problemas como originados en su interior, será mucho más fácil confrontarlos y superarlos. También se quejará menos.

⇨ **309** ⇦

SI usted persigue una meta más grande que sus capacidades, no le dará ningún resultado.

310

LA persona a quien se debe juzgar es a usted mismo. Aceptar la responsabilidad por sus acciones y descuidos, sin perder el tiempo criticándose, es el sello de una persona eficiente.

311

UNA de las situaciones más difíciles que cualquier patrono debe confrontar, es despedir a un empleado. Sin embargo, a menudo, cuando lo hace está liberando a esa persona para que encuentre un empleo donde pueda sentir una mayor satisfacción y un mayor crecimiento personal.

312

Sı tiene dudas acerca de si hay algo que no ha querido confrontar, haga una lista de todos los hechos, conversaciones, personas y acciones que ha estado eludiendo.

313

Lᴀ mayoría de las personas está dispuesta a mantener relaciones mediocres para no tener que confrontar un futuro incierto. La mayoría de la gente altamente eficiente, está dispuesta a avanzar y da lugar a nuevas posibilidades.

⇨ 314 ⇦

EL temor a la confrontación, con frecuencia causa parálisis. Para experimentar libertad, confróntese lo más pronto posible. Si no se decide a hacerlo, solicite ayuda.

⇨ 315 ⇦

LAS personas competentes producen resultados. Cuando la gente inventa excusas, está encubriendo una incompetencia latente. La incompetencia será su ruina, a menos que confronten la necesidad de desarrollar sus capacidades.

⇨ 316 ⇦

EL confrontar una crisis lleva a las personas hacia niveles más altos de acción y creatividad. Una crisis puede ser en muchas empresas, una herramienta importante para descubrir potencial humano oculto y acelerar resultados.

⇨ 317 ⇦

LA gente que está dispuesta a arriesgarse y se "atreve" a ir más allá de lo normal, avanza más rápidamente que aquella que "va sobresegura" y actúa de acuerdo a lo establecido.

⇨ 318 ⇦

OLVIDE aquello que hizo ayer. Su jefe está más interesado en lo que usted hará hoy y mañana.

⇨ **319** ⇦

SI sus logros están siempre por debajo de sus deseos, debe confrontar el común denominador: USTED. Los resultados pueden mejorar considerablemente si usted mejora.

⇨ **320** ⇦

UNA inteligente confrontación no deja en la otra persona una sensación de molestia. No es correcto cuando se dice que una persona tiene la razón y la otra no. Una confrontación responsable respeta la dignidad y la posición de la otra persona. Cuando se arguye la verdad, quien escucha se nivelará con quien habla, y habrá silencio.

⇨ 321 ⇦

LA gente, con razones y excusas, generalmente está más comprometida con las normas establecidas y con el fracaso que con el éxito. La gente comprometida con el éxito, rara vez tiene excusas.

⇨ 322 ⇦

EL potencial menos explotado en la mayoría de las organizaciones, son sus empleados. Si usted confronta las normas establecidas y proporciona recompensas que alienten el rendimiento y el riesgo, obtendrá una mayor innovación, productividad y emoción en su empresa.

⇒ **323** ⇐

MUCHAS personas evitan confrontar a otras porque temen ser desagradables. El agradarle a otras personas es importante, pero poder confrontarlas y, aún así, agradarles, es una fórmula más efectiva para el éxito.

⇒ **324** ⇐

LA manera más rápida de motivar a las personas a confrontar sus proyectos aplazados en el trabajo, es cuando se les proporcionan beneficios y/o pérdidas de acuerdo con sus resultados.

⇒ **325** ⇐

EL empleado que es tolerado por el jefe, está pidiendo ser relevado de sus deberes por un patrón que está evitando confrontarlo.

326

UNA de las cosas más difíciles de confrontar, en cualquier empresa, es cambiar la cultura de la mediocridad. A menudo se deja para el momento en que se presenta una crisis o una bancarrota. El mayor riesgo para cualquier empresa es no permitir que se desafíen las normas establecidas.

327

LA mediocridad prevalecerá hasta que sea confrontada.

328

UNA manera de ver la confrontación, es agradecer que otra persona haya pensado que usted es lo suficientemente importante, como para dedicarle tiempo y esfuerzo y decirle lo que para ella es la verdad.

⇨ 329 ⇦

Lo más importante al confrontar a alguien es decirle la verdad. Las personas exitosas no sólo pueden decirle a otras la verdad, sino que lo hacen tan hábilmente, que la otra persona se siente agradecida.

⇨ 330 ⇦

El grado en que usted evite confrontar algo o a alguien, es el mismo grado en el que usted ha permitido que esa persona o cosa lo controle.

⇨ 331 ⇦

Si usted está constantemente confrontando a quienes le rodean, considere la posibilidad de que su propio comportamiento podría ser el responsable de lo que usted encuentra ofensivo en ellos. A menudo, confrontando su propio comportamiento, usted automáticamente cambiará y hará que lo demás cambien. ¡Inténtelo, puede llevarse una sorpresa!

⇨ 332 ⇦

Su capacidad para confrontar responsablemente a los demás, es uno de los ingredientes claves para obtener ventaja.

333

LAS circunstancias no constituyen una excusa válida para la falta de rendimiento. Si usted no puede confrontar y superar sus circunstancias, su rendimiento disminuirá.

334

EL temor a la confrontación puede causar parálisis. La mayoría de las personas realizará elaborados movimientos y maniobras mentales para evadir una inevitable confrontación. Pero las personas altamente eficientes realizarán la confrontación tan pronto les sea posible, para mantener el impulso y evitar preocupaciones.

LIDERAZGO

A medida que disminuyen las barreras económicas, se ha incrementado la necesidad de un liderazgo eficaz en las organizaciones.

Los nuevos líderes podrán comunicar y responder con eficacia a las diversas necesidades de esta cultura y economía crecientes. Podrán hacer alianzas con individuos y grupos que tienen una variedad de necesidades y perspectivas orientadas hacia un consenso y una causa comunes. Comunicarán un futuro que inspire acciones y resultados eficaces.

Para aquellos que lideran, nunca ha existido un momento más emocionante, o que les ofreciera tan vasto panorama de retos locales y globales como ahora. El liderazgo es una comunión con la vida misma, que reta, aún a los más competentes, a trascender las diferencias y a comunicarse sin fricciones, buscando relacionar, informar e inspirar a diversos grupos de personas hacia una acción eficaz.

335

EL papel de un líder eficaz, es crear y comunicar continuamente la visión de la empresa y definir los negocios a que se dedica. Así como inspirar a sus ejecutivos, administradores y personal a actuar eficazmente.

336

LOS líderes deben ser conscientes de su propio poder de transmitir, instantáneamente, su temperamento y actitudes a sus organizaciones. Los temperamentos y actitudes negativas, causarán un cambio sutil en la productividad de su empresa. Si bien, puede presentarse durante sólo un momento, puede ser muy costoso y consumir mucho tiempo al permitir su difusión.

👍 **337** 👍

EL común denominador de todos los líderes eficaces es la autodisciplina.

👍 **338** 👍

Los líderes confían y creen en sus instintos, porque con frecuencia, están dotados con la visión de un futuro que aún no existe.

339

Los líderes propician la urgencia en sus organizaciones, porque saben que si no hay urgencia, se enfrentan a la extinción.

340

El comienzo del fin de un negocio es no entregar lo prometido. Ya que sus clientes pierden la fe, y poco después, sus empleados también la perderán. Para lograr un incremento y revitalizar la productividad y los resultados, el liderazgo debe comunicar nuevos compromisos respaldados por acciones visibles, específicas y rápidas.

👍 341 👍

Los líderes pueden establecer una red informal para encontrar rápidamente la información necesaria. Si usted no puede encontrar la información tan rápidamente como la necesita, su capacidad de liderazgo se verá disminuida.

👍 342 👍

Los líderes eficaces poseen una capacidad sobrenatural para convertir rápidamente los problemas en oportunidades.

👍 343 👍

Las bandas musicales y todos los equipos deportivos siempre se desempeñan mejor cuando el líder está presente. Igual sucede con sus empleados.

344

Cuando su organización, división o departamento deja de producir utilidades durante un largo periodo de tiempo, usted necesita incrementar la innovación, comunicar una nueva visión respaldada por acciones específicas o realizar un cambio importante en su personal. Si el liderazgo actual no puede cumplir con esto, cambie a los líderes.

345

Los líderes eficaces rara vez son defensivos. Generalmente, han tomado una postura que no requiere la defensa de su posición, sino que alientan a los demás para que participen y compartan.

 **346**

LA mayoría de las personas posee una capacidad superior a la que jamás utilizará. El propósito del liderazgo es sacar ese potencial humano, generalmente desaprovechado, hacia una acción eficaz.

 347

EL propósito de los presupuestos es determinar lo predecible y tomar medidas al respecto. El propósito de un liderazgo eficaz, es hacer que ocurran los resultados impredecibles dentro de esos presupuestos.

348

LA acción organizada y voluntariamente comprometida, es el estado ideal de la cultura corporativa. Inspirar esas

195

acciones con una visión común, que defina los negocios y proporcione un máximo valor a sus empleados, clientes y accionistas, es el estado ideal del liderazgo eficaz.

PERDERÁ poder personal en el presente, si no tiene una visión clara del futuro.

LOS líderes generalmente se proyectan hacia niveles más altos que los demás. Nunca limitan sus comunicaciones con palabras como: "tratar", "intentar", "quizá", o "eso espero". Ellos enuncian certezas que inspiran a los demás a creer en ellos.

👍 **351** 👍

SUSCRÍBASE y lea mensualmente una revista de computación. De otro modo, estará en desventaja respecto a sus competidores en la industria.

👍 **352** 👍

EL liderazgo, impulsado por el ego, no desarrollará el mismo potencial para crear oportunidades, que el liderazgo que es impulsado por una causa o propósito superior a sí mismo.

👍 **353** 👍

SI los empleados se sienten desalentados, los líderes tienen que proporcionarles una visión superior. Mi consejo: Los líderes podrían pasar más tiempo comunicando la visión que tienen de su empresa, y la contribución que sus productos y servicios proporcionan al mundo.

354

SI no comunica la visión que usted tiene de su organización, unidad o departamento, ¿quién lo hará?

355

CUANDO viaje, visite mansiones públicas y privadas. Ellas le inspirarán y expandirán su visión.

 **356**

PREGÚNTESE siempre qué pasos debe tomar un líder, y tómelos.

 **357**

CUANDO lidere una reunión, siempre lleve a su grupo a un consenso sobre tantos asuntos como le sea posible. Eso es muy importante para lograr un acuerdo unánime que los demás difícilmente rechazarán.

 **358**

LOS líderes siempre aceptan un ciento por ciento de responsabilidad en sí mismos y en sus empresas. Nunca culpan a otros ni los critican. Pueden avanzar rápidamente porque asumen la responsabilidad de sus circunstancias y de sus resultados.

👍 359 👍

CUANTO más trate a las personas como si fueran competentes, más competentes serán.

👍 360 👍

SU forma de actuar ante lo sucedido, tiene con frecuencia un mayor efecto que lo que sucedió. Cuanto más alto sea su nivel de liderazgo, con mayor frecuencia reemplazará reacciones inadecuadas por respuestas adecuadas.

👍 361 👍

CUANTO más cómodo se sienta con lo desconocido, más confianza desarrollará en sus sentidos intuitivos. Los líderes a menudo están situados en lo desconocido, y todos, sin excepción, confían en su intuición.

👍 362 👍

LOS problemas de capacidad pueden ser físicos y/o emocionales. Los primeros pueden ser obvios y los segundos más sutiles; sin embargo, cualquiera de ellos detiene el crecimiento. Un líder eficaz debe apartar continuamente todos los obstáculos, o la organización se estancará.

👍 363 👍

TODOS los caracteres pueden dividirse en miles de características individuales. Para hacer más eficaz su comportamiento como líder, aísle las características específicas y trabaje persistentemente en modificarlas, desarrollarlas y mejorarlas, una a la vez.

MANTENGA a su personal enfocado en la imagen general, y escuchará menos quejas.

LOS negocios más fructíferos no son, necesariamente, aquellos que cuentan con los empleados más hábiles o con los mejores productos. Son los que cuentan con la mejor estrategia de mercadeo y con el mejor liderazgo.

Otros libros editados por Editorial Centauro Prosperar

URI GELLER, SUS PODERES MENTALES Y CÓMO ADQUIRIRLOS
Juego de libro, audiocasete y cuarzo
Autor: Uri Geller

Este libro revela cómo usted puede activar el potencial desaprovechado del cerebro, al mejorar la fuerza de la voluntad y aumentar las actividades telepáticas. Además, explica cómo usar el cristal energizado y el audiocasete que vienen junto con el libro.

Escuche los mensajes positivos de Uri mientras le explica cómo sacar de la mente cualquier pensamiento negativo y dejar fluir la imaginación. El casete también contiene una serie de ejercicios, especialmente creados por Uri Geller, para ayudarle a superar problemas concretos.

EL PODER DE LOS ÁNGELES CABALÍSTICOS
Juego de libro y videocasete
Autora: Monica Buonfiglio

Esta obra es una guía completa para conocer el nombre, la influencia y los atributos del ángel que custodia a cada persona desde su nacimiento.

Incluye información sobre el origen de los ángeles. Los 72 genios de la cábala hebrea, el genio contrario, la invocación de los espíritus de la naturaleza, las oraciones para pedir la protección de cada jerarquía angélica y todo lo que deben saber los interesados en el estudio de la angeología. Ayuda a los lectores a perfeccionarse espiritualmente y a encontrar su esencia más pura y luminosa. En su primera edición en Brasil en 1994, se mantuvo entre la lista de los libros más vendidos durante varios meses.

ALMAS GEMELAS
Aprendiendo a identificar el amor de su vida
Autora: Monica Buonfiglio

En el camino en busca de la felicidad personal encontramos muchas dificultades; siempre estamos sujetos a los cambios fortuitos de la vida. En este libro, Monica Buonfiglio aborda con maestría el fascinante mundo de las almas gemelas.

¿Dónde encontrar su alma gemela, cómo reconocerla o qué hacer para volverse digno de realizar ese sueño? En esta obra encontrará todas las indicaciones necesarias, explicadas de manera detallada para que las ponga en práctica.

Lea, sueñe, amplíe su mundo, expanda su aura, active sus chakras, evite las relaciones kármicas, entienda su propia alma, para que de nuevo la maravillosa unidad de dos almas gemelas se vuelva una realidad en su vida.

CÓMO MANTENER LA MAGIA DEL MATRIMONIO
Autora: Monica Buonfiglio

En este texto el lector podrá descubrir cómo mantener la magia del matrimonio y aceptar el desafío de convivir con la forma de actuar, de pensar y de vivir de la otra persona.

Se nece: ta de mucha tolerancia y comprensión, evitando la crítica negativa.

Para lograr esta maravillosa armonía se debe aprender a disfrutar de la intimidad sin caer en la rutina, a evitar que la relación se enfríe y que, por el contrario, se fortalezca con el paso de los años.

Los signos zodiacales, los afrodisíacos y las fragancias, entre otros, le ayudarán a desarrollar su imaginación.

MARÍA, ¿QUIÉN ES ESA MUJER VESTIDA DE SOL?
Autora: Biba Arruda

La autora presenta en este libro las virtudes de la Virgen María. A través de su testimonio de fe, entrega y consagración, el lector comprenderá y practicará las enseñanzas dejadas por Jesucristo.

La obra explica cómo surgió la devoción de los diferentes nombres de María, cuáles han sido los mensajes que Ella ha dado al mundo, cómo orar y descubrir la fuerza de la oración, el poder de los Salmos y el ciclo de purificación; todo ello para ser puesto en práctica y seguir los caminos del corazón.

En esta obra, María baja de los altares para posarse en nuestros corazones. Mujer, símbolo de libertad, coraje, consagración, confianza, paciencia y compasión.

PAPI, MAMI, ¿QUÉ ES DIOS?
Autora: Patrice Karst

Papi, mami, ¿qué es Dios? es un hermoso libro para dar y recibir, guardar y conservar. Un compañero sabio e ingenioso para la gente de cualquier credo religioso.

Escrito por la norteamericana Patrice Karst, en un momento de inspiración, para responderle a su hijo de siete años la pregunta que tantos padres tienen dificultad en contestar. En pocas páginas, ella logró simplificar parte del material espíritu-religioso que existe y ponerlo al alcance de los niños, para que entiendan que a Dios tal vez no se le pueda conocer porque es un Ser infinito, pero sí sentir y estar consciente de su presencia en todas partes.

MANUAL DE PROSPERIDAD
Autor: Si-Bak

Así como se aprende a hablar, a caminar y a comer, cosas muy naturales en nuestro diario vivir, de igual forma hay que aprender a prosperar. Esto es posible para toda las personas sin disculpa alguna.

Para ello debemos intensificar la fe, la perseverancia y la práctica de un principio que nos conduzca por el camino de la prosperidad. Y es esto lo que enseña el "Manual de Prosperidad". De manera sencilla y práctica, coloca en manos del lector reglas, conceptos y principios que le permiten encaminarse en el estudio de la prosperidad y entrar en su dinámica.

PARÁBOLAS PARA EL ALMA
"Mensajes de amor y vida"
Autora: Yadira Posso Gómez

En este libro encontrará mensajes que han sido recopilados a partir de comunicaciones logradas por regresiones hipnóticas.

La doctora Yadira Posso y su hermana Claudia, han sido elegidas para recibir mensajes de la propia voz de "El Maestro Jesús", a través de procesos de regresión en los que Él se manifiesta por medio de Claudia, quien sirve de médium.

Usted encontrará en esta obra hermosas parábolas para su crecimiento interno y desarrollo personal.

CON DIOS TODO SE PUEDE
Autor: Jim Rosemergy

¿Cuántas veces ha sentido que las puertas se le cierran y queda por fuera del banquete de la abundancia de la vida? ¿Quizás necesitaba un empleo, un préstamo, un aumento de sueldo, un cupo en el colegio o la universidad, o simplemente disponer de más dinero, tiempo, amor y no se le había dado? ¿Se ha preguntado por qué a otros sí y no a usted?

¿Sabía usted que este universo ha sido creado con toda perfección y que el hombre tiene el poder de cambiar su vida, haciendo de ésta un paraíso o un infierno?

Leyendo este libro usted entenderá la manera de utilizar su poder para tener acceso a todas las riquezas de este universo. El poder está dentro de usted y es cuestión de dejarlo actuar. Cuando usted está consciente de la relación que debe tener con el Creador, todas las cosas que desee se le darán, por eso decimos que "con Dios todo se puede".

CÓMO ENCONTRAR SU PAREJA IDEAL
Autor: Russ Michael

¿Busca su pareja ideal? Si es así, este libro está hecho especialmente para usted.

Léalo y descubra la dinámica interna y externa que aflora mágicamente cuando dos seres se reconocen como almas gemelas. La pareja ideal se ama y acepta por igual sus cualidades e imperfecciones, libre de egoísmos e intereses personalistas y construye, momento a momento, día a día, una vida plena y autorrealizada, salvando los obstáculos inherentes al diario vivir.

Su autor, Russ Michael, le ayudará a descubrir qué y quién es usted en verdad y a quién o qué necesita para realizarse y lograr la felicidad, así como a aumentar su autoestima y magnetismo para ser una persona de éxito. Sea un espíritu libre y viva a plenitud su preciosa vida al dar y recibir amor.

MI INICIACIÓN CON LOS ÁNGELES
Autores: Toni Bennássar - Miguel Ángel L. Melgarejo

Este libro es una recopilación de los misteriosos y fascinantes encuentros que Miguel Ángel Melgarejo y un grupo de jóvenes tuvieron con ángeles en el Levante de la Península Ibérica.

El periodista Toni Bennásar resume los encuentros de Miguel Ángel, siendo aún un adolescente, y posteriormente como adulto, hasta culminar con su iniciación en el monte Puig Campana, donde estuvo en contacto permanente con los ángeles por un lapso de 90 días, recibiendo mensajes de amor, sabiduría y advertencia para la humanidad.

Ya sea usted amante de los ángeles o no, este libro colmará su interés y curiosidad por los apasionantes sucesos que allí ocurren.

CUANDO DIOS RESPONDE
¿Locura o misticismo?
Autora: Tasha Mansfield

En este libro magistral, usted conocerá la historia vivencial de la reconocida psicoterapeuta norteamericana Tasha Mansfield, quien, tras afrontar una inesperada y difícil enfermedad que la postró en cama por siete años, encontró la sanación física y el despertar espiritual.

Antes, durante y después de la enfermedad, una voz celestial la fue guiando para asumir actitudes correctas y adquirir la ayuda necesaria en su vida.

Tasha Mansfield comparte también una serie de ejercicios y meditaciones para expandir el nivel de conciencia, atraer paz y obtener una vida más plena y feliz.

CÓMO HABLAR CON LOS ÁNGELES
Autora: Monica buonfiglio

En este excelente libro, su autora nos introduce en la magia de los ángeles cabalísticos, nos enseña la forma correcta de conversar con los ángeles y, en una sección de preguntas y respuestas, resuelve inquietudes relacionadas con estos seres de luz.

Usted conocerá el nexo de los ángeles con los elementales y cómo invocarlos para atraer su protección.

Aprenda a interpretar las velas y a manejar los pantáculos para contrarrestar ondas magnéticas; utilice flores, inciensos y perfumes para solicitar la presencia angelical.

Atraiga la sabiduría de los ángeles a su vida y enriquézcase espiritual y materialmente.

EL EMPERADOR REENCARNADO
Autor: George Vergara, M.D.

A través de esta apasionante historia, usted conocerá la vida y obra del gran emperador de Roma, Marco Aurelio, relatada después de 2.000 años por el reconocido médico cardiólogo estadounidense, George Vergara.

George cuenta cómo un día, y de una forma que bien podría llamarse casual, se enteró que había sido Marco

Aurelio en otra vida. Siguiendo las huellas del emperador, George viaja a Italia, y en un "deja vu" sorprendente, revive la vida y obra de quien fuera uno de los más grandes líderes del mundo. Misteriosamente, y de forma concatenada, una serie de extraños sucesos le dan indicios de que es el alma encarnada del emperador.

El doctor Vergara comprende que Dios, en su infinita misericordia, le ha permitido correr el velo y conocer parte de su recorrido como alma, para construir una vida de amor y servicio a la humanidad.

CON DIOS TODO SE PUEDE 2
Autor: Jim Rosemergy

En Con Dios todo se puede 2, aquellos que deseen encontrar a Dios de una manera más personal, hallarán los pasos para establecer una relación más duradera y satisfactoria.

Mediante la oración, y una nueva comprensión del propósito de la oración, la humanidad entró al nuevo milenio desfrutando de una relación más cercana con Dios. Lo común es que la gente acuda a la oración en momentos de angustia, necesidad o carencia, pero la verdadera razón para orar es encontrar a Dios y no sólo para satisfacer deseos mundanos.

Conocer la Presencia Divina les dará el sustento espiritual necesario a quienes se encuentran en su senda.

CLAVES PARA ATRAER SU ALMA GEMELA
Autor: Russ Michael

En esta obra, Russ Michael nos presenta nuevos conceptos e ideas para atraer a su alma gemela, partiendo de la perspectiva de un universo vibratorio: todo vibra sin excepción en este mundo.

Su autor revela cómo todos estamos inmersos y rodeados de un vasto campo vibratorio universal; cómo cualquiera que lo desee puede utilizar las técnicas recomendadas en este libro para conseguir a su alma gemela, su homólogo desde el punto de vista vibratorio, la cual encaja perfectamente con su pareja espiritual, por ser imagen y reflejo exacto de ella. Explica cómo cada uno de nosotros, sin excepción, hace resonar un tono muy personal y único, o nota vibratoria. ¡Naturalmente, su alma gemela también dispone de una nota propia y única!

FENG SHUI AL ALCANCE DE TODOS
Autora: Clara Emilia Ruiz C.

El Feng Shui es una técnica que plantea una serie de principios básicos con el objeto de armonizar al ser a través de cambios en el ambiente que lo rodea. Con el uso de un mapa de guía llamado Bagua, se toma como eje la entrada a cada espacio donde se determinan nuevas áreas de trabajo que tienen directa relación con nuestra vida.

A través del Feng Shui se determinan las áreas de un terreno adecuadas para seleccionar un lote y la correcta ubicación de la casa o edificio dentro del lote. Igualmente, en el interior de la casa, las formas, proporciones e interrrelación entre espacios má convenientes para el correcto fluir del ser humano en la vida, atrayendo así bienestar, salud y prosperidad.

UN VIAJE AL PLANETA DE CRISTAL
Autor: Cristovão Brilho

Es un bello cuento con hermosas ilustraciones para ser coloreadas por los niños.

Narra la historia de siete niños, quienes gracias al poder de su imaginación creativa se trasladan al Planeta de Cristal guiados por Cristalvihno, un amoroso personaje oriundo de ese planeta, quien en un excitante y maravilloso viaje les explica el valor terapéutico de los cristales y cómo utilizarlos sabiamente según su color.

Historia original de Cristovão Brilho, reconocido sanador brasilero y autor del libro El poder sanador de los cristales.

EL PODER DE ACEPTARSE A SÍ MISMO Y A LOS DEMÁS
Autor: Jim Rosemergy

En esta obra, las personas que se hallan en proceso de autoconocerse, las que se encuentran en crisis de personalidad, las que buscan desarrollo espiritual y personal o el simple lector desprevenido, encontrarán una serie de pautas para desarrollar de una manera práctica y sencilla, en el a veces espinoso y difícil trabajo de la aceptación de sí mismo, de los demás, de la vida y del entorno que nos rodea.

Jim nos muestra la importancia de aprender a aceptar nuestra parte humana, con sus virtudes y cualidades, flaquezas y debilidades, para llegar así a conocer el maravilloso ser espiritual que realmente somos.

Un libro que se convertirá en su mejor amigo y consejero de cabecera. Imparcial y desinteresado, lleno de amor y profunda sabiduría.

EL PODER SANADOR DE LOS CRISTALES
Autor: Cristovão Brilho

Un libro donde su autor habla de manera sencilla y clara sobre los chacras o centros de energía y el uso terapéutico de los cristales a través de ellos. Cómo llevar los cristales, cómo lograr la cura en los demás y en uno mismo, cómo aprovechar su energía, cómo programarlos y cómo utilizarlos cotidianamente.

El mundo de la piedras es encantador y fascinante. Lleva a la persona o "buscador", de una etapa de aprendizaje a un plano científico, a través del descubrimiento de algo que puede relatar la cronología de la Tierra, los eventos y la historia de la evolución del hombre.

**Para información adicional y pedidos de cualquiera
de los libros editados por Centauro Prosperar Editorial,
favor comunicarse con:**

**Colombia: tel: 01800 0911654
www.prosperar.com**

**México: Tel: (52 5) 5525 3637
www.centauroprosperar.com**

**USA: Tel: 1 800 968 9207
www.centauropublishing.com**